11/14

D1097308

YUBA COUNTY LIBRARY
MARYSVILLE, CA

Rápido y fácil

Recetas esenciales

Quick & Easy
First published 2008 by
FLAME TREE PUBLISHING
Crabtree Hall, Cabtree Lane
Fulham, London SW6 6TY
United Kingdom
© 2013 Flame Tree Publishing Ltd

Traducción © 2013, Grupo Editorial Tomo, S.A. de C.V.
Nicolás San Juan 1043, Col. Del Valle, 03100, México, D.F.
Tels. 5575-6615, 5575-8701 y 5575-0186 Fax. 5575-6695
http://www.grupotomo.com.mx
ISBN-13: 978-607-415-447-4
Miembro de la Cámara Nacional
de la Industria Editorial No 2961

Traducción: Ivonne Saíd Marínez
Diseño de portada: Karla Silva
Formación tipográfica: Armando Hernández
Supervisor de producción: Silvia Morales Torres

Derechos reservados conforme a la ley.
Ninguna parte de esta publicación podrá ser reproducida o
transmitida en cualquier forma, o por cualquier medio electrónico
o mecánico, incluyendo fotocopiado, cassette, etc., sin autorización
por escrito del editor titular del Copyright.

Este libro se publicó conforme al contrato establecido entre
Flame Tree Publishing y
Grupo Editorial Tomo, S.A. de C.V.

Impreso en Singapur - *Printed in Singapore*

YUBA COUNTY LIBRARY
MARYSVILLE, CA

Rápido y fácil

Recetas esenciales

Editado por Gina Steer

Grupo Editorial Tomo, S.A. de C.V.,
Nicolás San Juan 1043,
03100 México, D.F.

Contenido

Conversiones útiles

Medidas líquidas
Métricas/Imperiales

2.5ml .... 1/2 cucharadita	200ml .... 7 oz líquidas (1/3 de pinta)	1 litro .... 13/4 pintas
5ml .... 1 cucharadita	250ml .... 8 oz líquidas	1.1 litros ...... 2 pintas
15ml .... 1 cucharada	275ml .... 9 oz líquidas	1.25 litros ..... 21/4 pintas
25ml .... 1 oz líquida	300ml .... 10 oz líquidas (1/2 pinta)	1.5 litros ...... 21/2 pintas
50ml .... 2 oz líquidas	350ml .... 12 oz líquidas	1.6 litros ...... 23/4 pintas
65ml .... 21/2 oz líquidas	400ml .... 14 oz líquidas	1.7 litros ...... 3 pintas
85ml .... 3 oz líquidas	450ml .... 15 oz líquidas (3/4 de pinta)	2 litros .... 31/2 pintas
100ml .... 31/2 oz líquidas	475ml .... 16 oz líquidas	2.25 litros ..... 4 pintas
120ml .... 4 oz líquidas	500ml .... 18 oz líquidas	2.5 litros ...... 41/2 pintas
135ml .... 41/2 oz líquidas	600ml .... 20 oz líquidas (1 pinta)	2.75 litros ..... 5 pintas
150ml .... 5 oz líquidas (1/4 de pinta)	750ml .... 11/4 pintas	
175ml .... 6 oz líquidas	900ml .... 11/2 pintas	

Temperaturas del horno

110°C	........225°F	.....Marca de gas 1/4	.... Muy bajo
120/130°C	....250°F	.....Marca de gas 1/2	.... Muy bajo
140°C	........275°F	.....Marca de gas 1	.... Bajo
150°C	........300°F	.....Marca de gas 2	.... Bajo
160/170°C	....325°F	.....Marca de gas 3	.... Moderado
180°C	........350°F	.....Marca de gas 4	.... Moderado
190°C	........375°F	.....Marca de gas 5	.... Moderadamente caliente
200°C	........400°F	.....Marca de gas 6	.... Moderadamente caliente
220°C	........425°F	.....Marca de gas 7	.... Caliente
230°C	........450°F	.....Marca de gas 8	.... Caliente
240°C	........475°F	.....Marca de gas 9	.... Muy caliente

Medidas secas
Métricas/Imperiales

10 g ....¼ oz	165 g ....5½ oz	450 g ....1 lb (16 oz)
15 g ....½ oz	175 g ....6 oz	
20 g ....¾ oz	185 g ....6½ oz	
25 g ....1 oz	200 g ....7 oz	
40 g ....1½ oz	225 g ....8 oz	
50 g ....2 oz	250 g ....9 oz	
65 g ....2½ oz	300 g ....10 oz	
75 g ....3 oz	325 g ....11 oz	
90 g ....3½ oz	350 g ....12 oz	
100 g ....4 oz	375 g ....13 oz	
120 g ....4½ oz	400 g ....14 oz	
150 g ....5 oz	425 g ....15 oz	

Conversión de temperatura

−4°F ....−20°C	95°F ....35°C
5°F ....−15°C	104°F ....40°C
14°F ....−10°C	113°F ....45°C
23°F ....−5°C	122°F ....50°C
32°F ....0°C	212°F ....100°C
41°F ....5°C	
50°F ....10°C	
59°F ....15°C	
68°F ....20°C	
77°F ....25°C	
86°F ....30°C	

Reglas para cocinar bien

Al manipular y cocinar alimentos, debes seguir algunas reglas y pautas generales para que los alimentos sean aptos para su consumo y no se contaminen con las bacterias y los bichos que pueden provocar enfermedades.

Reglas de buena higiene

- La higiene personal es fundamental cuando manejas alimentos. Antes de comenzar, lávate las manos muy bien con agua y jabón, prestando particular atención a las uñas. Lávatelas siempre después de ir al baño; después de manejar alimentos crudos, carne o vegetales cocidos. No te toques ninguna parte del cuerpo, ni acaricies a las mascotas, ni laves cosas sucias durante la preparación de los alimentos.
- Las cortadas deben cubrirse con un parche a prueba de agua, de preferencia azul para que pueda distinguirse si se llegara a desprender.
- No fumes en la cocina.
- Mantén a las mascotas lejos de las superficies de trabajo y fuera de la cocina, de ser posible. Limpia las superficies con una solución antibacterial. Lava los recipientes de su comida por separado.
- Procura tener el cabello lejos de la cara para que no caiga en la comida o en las herramientas de trabajo.
- Siempre que sea posible, usa el lavavajillas para lavar los utensilios y el equipo utilizando agua jabonosa muy caliente.

- Usa trapos y toallas limpias, cámbialos con frecuencia o hiérvelos para matar las bacterias.
- Las tablas para picar y los implementos de cocina deben estar limpios. Las tablas se lavan en el lavavajillas o se tallan después de cada uso. Utiliza una tabla para la carne, una para el pescado y otra para los vegetales, y lava los cuchillos antes de usarlos en diferentes tipos de alimentos. Usa tablas diferentes para comida cruda y cocida, o lávalas muy bien entre una y otra.
- Coloca bolsas en los botes de basura, vacíalos con frecuencia y lávalos con desinfectante. De preferencia deben estar afuera.

Pautas generales para usar un refrigerador

- Asegúrate de que el refrigerador esté situado lejos de cualquier equipo que desprenda calor, como estufa, lavadora y secadora para que su eficiencia sea mayor. Procura que no se obstruya el ventilador.
- Si no es libre de escarcha, descongélalo con frecuencia y límpialo con una solución suave de bicarbonato de sodio disuelto en agua tibia y un trapo limpio.
- Cierra la puerta lo más pronto posible para que el motor no se fuerce para conservar la temperatura correcta.
- Procura que la temperatura sea de 5˚C. Un termómetro es una buena inversión.
- Evita llenarlo de cosas, eso hace que el motor trabaje de más.
- Enfría la comida antes de meterla al refrigerador y siempre tápala para evitar los malos olores y que el sabor se transfiera a otros alimentos.

Cómo ordenar el refrigerador

- Quítale el empaque a la carne cruda, al pollo y al pescado, y colócalos en un plato o platón, cúbrelos sin apretarlos y guárdalos en la base del refrigerador para que los jugos no escurran en otros alimentos.
- Guarda el queso en una caja o recipiente y envuélvelo para que no se seque.

- Saca los alimentos que se comerán crudos 30 minutos antes de usarlos para que puedan aclimatarse a la temperatura ambiente.
- Las carnes cocidas, el tocino y todos los platillos cocidos deben almacenarse en la parte superior, la más fría.
- Guarda los huevos en su compartimiento y sácalos 30 minutos antes de usarlos para que estén a temperatura ambiente.
- La mantequilla y todas las grasas pueden guardarse en la puerta, igual que la leche, bebidas frías, salsas, mayonesa y conservas con bajo contenido de azúcar.
- La crema y otros productos lácteos, así como los pastelitos de chocolate rellenos de crema, deben almacenarse en la repisa de en medio.
- Los vegetales, ensaladas y fruta se guardan en las cajas de la verdura, en la parte inferior del refrigerador.
- Las frutas suaves deben guardarse en la caja de las verduras junto con los champiñones, que deben meterse en bolsas de papel
- Para evitar que se contaminen unos a otros, los alimentos crudos y los cocidos deben almacenarse por separado.
- Usa los alimentos en la fecha indicada en el empaque; y una vez abiertos, manéjalos como alimentos cocidos y utilízalos máximo en dos días.

Reglas generales

- Consume todos los alimentos antes de la fecha de caducidad indicada en el empaque y guárdalos correctamente. Esto aplica a todos los alimentos. Frescos, congelados, enlatados, secos. Es mejor si sacas las papas de la bolsa de plástico y las guardas en bolsas de papel en un lugar fresco y oscuro.

- Fíjate que toda la comida esté bien descongelada antes de usarla, a menos que la carne deba cocinarse congelada.
- Cuece las aves muy bien, a la temperatura adecuada (190°C/375°F/Marca de gas 5) o hasta que los jugos sean claros.
- Deja que la comida se enfríe lo más posible antes de meterla al refrigerador, y cúbrela mientras se enfría.
- No vuelvas a congelar los alimentos descongelados, a menos que los cocines primero.
- Etiqueta con la fecha la comida que congeles, y úsala en rotación.
- Recalienta los alimentos hasta que estén muy calientes. Recuerda que debes permitir que reposen si usas el microondas y revolverlos para distribuir el calor.
- Los microondas varían den acuerdo con la fabricación y el wattage, por eso siempre consulta las indicaciones del fabricante.
- Recalienta los platillos nada más una vez y siempre hasta que estén bien calientes.
- Fíjate que los huevos estén frescos. Si vas a usarlos para preparar mayonesa, suflés u otros platillos que requieren huevos crudos o semicocidos, no se los des a las personas más vulnerables; es decir, ancianos, embarazadas, gente con enfermedades crónicas, bebés y niños pequeños.
- Cuando compres comida congelada, transpórtala en bolsas para alimentos congelados, y métela al congelador lo más pronto posible.
- Los alimentos fríos, como comidas frías, queso, carne fresca, pescado y productos lácteos deben adquirirse, llevarse a casa y meterse al refrigerador de inmediato. No los conserves en el auto o en una habitación caliente.
- Evita comprar alimentos cuya lata esté abollada o no traiga etiqueta. Mantén limpia la alacena, revísala con frecuencia y cambia los alimentos.
- Harina, nueces, arroz, legumbres, granos y pastas deben revisarse con frecuencia, y una vez abiertos, colócalos en recipientes herméticos.
- No compres huevos o comida fría o congelada que esté dañada.
- Conserva las hierbas secas y las especias molidas en un lugar fresco y oscuro. Pierden rápido su aroma y su sabor cuando se exponen a la luz.

Sopas simples y entremeses sencillos

Ya sea que quieras preparar una reconfortante sopa casera o una botana ligera y sabrosa, estos entremeses no podrían ser más sencillos con sus fotografías paso a paso y los textos claros que te guiarán durante el proceso.

Crema de espinacas

1 En una cacerola grande, colocar la cebolla, el ajo y las papas y cubrir con agua fría. Añadir la mitad de la sal y dejar que suelte el hervor. Tapar y cocinar a fuego lento de 15 a 20 minutos o hasta que las papas estén suaves. Retirar del fuego y agregar las espinacas. Tapar y reservar durante 10 minutos.

2 En otra cacerola, derretir a fuego lento la mantequilla, agregar la harina y cocer a fuego lento durante 2 minutos. Retirar la cacerola del fuego y verter la leche, poco a poco, revolviendo constantemente. Regresar al fuego y cocinar de 5 a 8 minutos o hasta que la salsa esté tersa y haya espesado ligeramente. Agregar al gusto la nuez moscada recién rallada.

3 En un procesador de alimentos o licuadora, licuar la mezcla fría de las papas y las espinacas hasta obtener un puré terso, devolver a la cacerola e incorporar poco a poco la salsa blanca. Sazonar al gusto con sal y pimienta y calentar ligeramente, sin dejar que la sopa hierva. Servir la sopa en tazones individuales y colocar encima cucharadas de crème fraîche o crema fresca. Servir de inmediato con el pan foccacia caliente.

Ingredientes PORCIONES 6-8

1 cebolla grande, picada
5 dientes grandes de ajo, pelados, picados
2 papas medianas, peladas, picadas
750ml de agua fría
1 cucharadita de sal
450g/ 1 lb de espinacas, lavadas, sin los tallos grandes
50g/ 2 oz de mantequilla
3 cucharadas de harina
750ml de leche
½ cucharadita de nuez moscada molida
Pimienta negra, recién molida
6–8 cucharadas de crème fraîche o crema fresca
Pan foccacia caliente, para servir

Nuestra sugerencia

Cuando compres espinacas verifica que las hojas se vean frescas, que estén crujientes y de color verde oscuro. Úsalas de 1 a 2 días después de comprarlas, y de preferencia guárdalas en un lugar fresco.

Sopa de jitomate con pimientos rojos asados

1 Precalentar el horno a 200°C/ 400°F. Engrasar ligeramente una charola para rostizar con 1 cucharadita del aceite de oliva. Colocar los pimientos y los jitomates en la charola, con el corte hacia abajo, junto con la cebolla cortada en cuartos y los dientes de ajo. Verter encima el resto del aceite.

2 Asar en el horno precalentado durante 30 minutos o hasta que la piel de los pimientos haya comenzado a inflarse. Dejar que las verduras se enfríen durante 10 minutos antes de pelar los pimientos, quitarles los tallos y las semillas; pelar los jitomates, las cebollas y los ajos.

3 En un procesador de alimentos o en una licuadora, colocar las verduras cocidas y licuar hasta que estén suaves. Verter el caldo y licuar de nuevo hasta obtener un puré terso. Pasar la sopa por un colador para obtener una sopa más tersa y ponerla en una cacerola. Dejar que suelte el hervor, cocinar a fuego lento de 2 a 3 minutos y sazonar al gusto con sal y pimienta. Servir caliente con una cucharada de crema agria y un poco de albahaca encima.

Ingredientes   PORCIONES 4

2 cucharaditas de aceite de oliva
700g/ 1 ½ lb de pimientos rojos, en mitades, sin semillas
450g/ 1 lb de jitomates roma, maduros, en mitades
2 cebollas, en cuartos
4 dientes de ajo, sin pelar
600ml de caldo de pollo
Sal y pimienta negra, recién molida
4 cucharadas de crema agria
1 cucharada de albahaca, recién cortada en tiras finas

Nuestra sugerencia

Una manera más sencilla de quitarle la piel a los pimientos es sacarlos del horno y colocarlos de inmediato en una bolsa de plástico o en un tazón y cubrir con plástico autoadherente. Deja que se enfríen lo suficiente para manipularos, y luego pélalos con cuidado.

Crema de calabaza de Castilla

1 Pelar la calabaza, quitarle las semillas y cortar la pulpa en cubos de 2.5cm. En una cacerola grande calentar el aceite de oliva, freír la calabaza de 2 a 3 minutos, bañándola completamente con el aceite. Picar la cebolla y el puerro finamente, cortar la zanahoria y el apio en cubos pequeños.

2 Agregar las verduras a la cacerola junto con el ajo, freír revolviendo durante 5 minutos, o hasta que comiencen a suavizarse. Cubrir las verduras con el agua y dejar que suelte el hervor. Sazonar con bastante sal y pimienta y la nuez moscada, tapar, cocinar a fuego lento de 15 a 20 minutos o hasta que todas las verduras estén suaves.

3 Cuando las verduras estén listas, retirar la cacerola del fuego, dejar enfriar un poco y pasar a un procesador de alimentos o licuadora. Licuar hasta obtener un puré suave, pasarlo por un colador sobre una cacerola limpia.

4 Ajustar la sazón al gusto, añadir la crema excepto 2 cucharadas, y agua suficiente para obtener la consistencia adecuada. Dejar que llegue a ebullición, agregar la pimienta de Cayena y servir de inmediato con la crema y el pan de hierbas caliente.

Ingredientes   PORCIONES 4

900g/ 2 lb de calabaza de Castilla, sólo la pulpa, pelada, sin semillas
4 cucharadas de aceite de oliva
1 cebolla grande, pelada
1 puerro, picado
1 zanahoria, pelada
2 tallos de apio
4 dientes de ajo, pelados, machacados
1.7 litros de agua
Sal y pimienta negra, recién molida
¼ cucharadita de nuez moscada, recién molida
150ml de crema baja en calorías
¼ cucharadita de pimienta de Cayena
Pan de hierbas caliente

Dato culinario

Si no encuentras calabaza de Castilla puedes reemplazarla con calabacita italiana. También puedes sustituirla por calabaza amarilla (o butternut), bellota o turbante. Evita usar la calabaza cabello de ángel pues no se conserva firme al cocinarla.

Peperonata (mezcla de pimientos braseados)

1 Quitar las semillas a los pimientos y cortar en tiras delgadas. Rebanar la cebolla en aros y picar los dientes de ajo finamente.

2 En una sartén, calentar el aceite de oliva y freír los pimientos, las cebollas y el ajo de 5 a 10 minutos, o hasta que estén suaves y adquieran un poco de color. Revolver constantemente.

3 En la parte superior de los jitomates, marcar una cruz, colocar en un recipiente y cubrir con agua hirviendo. Dejar reposar durante 2 minutos. Escurrir, quitarles la piel y las semillas y picar la pulpa en cubos.

4 Agregar los jitomates y el orégano a los pimientos y la cebolla, y sazonar al gusto con sal y pimienta. Cubrir la sartén y dejar que suelte el hervor. Cocinar a fuego lento durante 30 minutos, o hasta que estén suaves, añadir el caldo de pollo o de verduras a media cocción.

5 Adornar con ramitos de orégano, servir caliente con mucho pan focaccia recién horneado o con rebanadas de pan ácimo (pan árabe) ligeramente tostado, y servir una cucharada de peperonata en cada plato.

Ingredientes   PORCIONES 4

2 pimientos verdes
1 pimiento rojo
1 pimiento amarillo
1 pimiento anaranjado
1 cebolla, pelada
2 dientes de ajo, pelados
1 cucharada de aceite de oliva
4 jitomates muy maduros
1 cucharada de orégano, recién picado
Sal y pimienta negra, recién molida
150ml de caldo de pollo o de verduras
Ramitos de orégano fresco, para adornar
Focaccia o pan ácimo

Consejo

Sirve la peperonata fría como parte de un antipasto o entrada. Algunos buenos acompañamientos son aceitunas marinadas, jitomates deshidratados o semisecos marinados, salami rebanado y otras carnes frías, y mucho pan italiano.

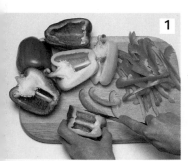

Champiñones silvestres al ajillo con palitos de pan de pizza

1 Precalentar el horno a 240°C/ 475°F 15 minutos antes de hornear. Colocar la levadura seca en agua tibia durante 10 minutos. En un tazón grande, poner la harina e incorporar poco a poco el aceite de oliva, la sal y la levadura disuelta.

2 En una superficie ligeramente enharinada, amasar hasta formar una masa suave y maleable. Cubrir con plástico autoadherente y dejar en un lugar caliente durante 15 minutos para que la masa se eleve; después extender y cortar en palitos de igual longitud. Tapar y dejar que vuelva a elevarse durante 10 minutos. Barnizar con aceite de oliva, espolvorear con sal y hornear durante 10 minutos.

3 Verter 3 cucharadas del aceite en una sartén y añadir el ajo machacado. Freír a fuego muy lento, revolviendo bien, de 3 a 4 minutos para darle sabor al aceite.

4 Si están muy grandes, cortar los champiñones silvestres en rebanadas, y agregar a la sartén. Sazonar bien con sal y pimienta, y cocinar a fuego bajo de 6 a 8 minutos, o hasta que estén tiernos.

5 Incorporar las hierbas frescas con el resto del aceite y el jugo de limón. Añadir a los champiñones y calentar bien. Sazonar al gusto y servir en platos individuales. Acompañar con los palitos de pan de pizza.

Ingredientes PORCIONES 6

Para los dedos de pan:
7g/ ¼ oz de levadura seca
250ml/ 8 oz de agua tibia
400g/14 oz de harina
2 cucharadas de aceite de oliva
1 cucharadita de sal

Para los champiñones:
9 cucharadas de aceite de oliva
4 dientes de ajo, pelados y machacados
450g/ 1 lb de champiñones silvestres, limpios y secos
Sal y pimienta negra, recién molida
1 cucharada de perejil, recién picado
1 cucharada de albahaca, recién picada
1 cucharadita de hojas de orégano, frescas
1 limón, el jugo

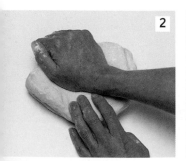

Langostinos tigre con jamón de Parma

1 Precalentar el horno a 180°C/ 350°F. Rebanar finamente el pepino y los jitomates, acomodar en 4 platos grandes y reservar. Pelar los langostinos, dejar la cola intacta, y con un cuchillo retirar la vena oscura de los langostinos.

2 En un tazón pequeño, mezclar 4 cucharadas del aceite de oliva, el ajo y el perejil picado, sazonar al gusto con suficiente sal y pimienta. Agregar los langostino, revolver para bañarlos bien. Retirar los langostinos, envolver cada uno en una pieza de jamón de Parma, asegurar con un palillo.

3 Colocar los langostinos preparados en una charola o recipiente para horno ligeramente engrasado junto con las rebanadas de pan, y hornear durante 5 minutos.

4 Retirar del horno, bañar los langostinos y el pan con el vino. Devolver al horno y hornear durante 10 minutos más, hasta que estén muy calientes.

5 Quitar con cuidado los palillos, acomodar 3 rollos de langostinos en cada rebanada de pan. Colocar encima del pepino y los jitomates, servir de inmediato.

Ingredientes   PORCIONES 4

½ pepino, pelado (o al gusto)
4 jitomates maduros
12 langostinos tigre, crudos
6 cucharadas de aceite de oliva
4 dientes de ajo, pelados y machacados
4 cucharadas de perejil, recién picado
Sal y pimienta negra, recién molida
6 rebanadas de jamón de Parma, cortadas a la mitad
4 rebanadas de pan tipo baguette
4 cucharadas de vino blanco seco

Nuestra sugerencia

La vena intestinal de los langostinos se extrae para evitar que amargue. Retira la cáscara y, con un cuchillo filoso, haz un corte a lo largo del centro de la parte superior del langostino, y abre la carne. Con la punta del cuchillo retira la vena que está a lo largo del cuerpo del langostino y deséchala.

Costalitos de mozzarella con salsa de arándano

1 Rebanar finamente el queso mozzarella, quitarle la corteza al pan y hacer sándwiches con el pan y el queso. Cortar en cuadros de 5cm y aplastarlos hasta que queden muy planos. Sazonar los huevos con sal y pimienta, y remojar el pan en la mezcla durante 1 minuto de cada lado, hasta que quede bien cubierto.

2 Calentar el aceite a 190°C/ 375°F y freír los cuadros de pan de 1 a 2 minutos, o hasta que estén crujientes y bien dorados. Escurrir en servilletas absorbentes y conservar calientes mientras se prepara la salsa de arándano.

3 En una cacerola pequeña, colocar los arándanos, el jugo de naranja, la ralladura, el azúcar y el Oporto, y agregar 5 cucharadas de agua. Dejar que suelte el hervor, y dejar a fuego lento durante 10 minutos, o hasta que los arándanos se "abran". Endulzar con un poco más de azúcar, si es necesario.

4 Acomodar los costalitos de mozzarella en platos individuales. Servir con un poco de la salsa de arándano.

Ingredientes PORCIONES 6

125g/ 4oz de queso mozzarella
8 rebanadas delgadas de pan blanco
2 huevos medianos, batidos
Sal y pimienta negra, recién molida
300ml de aceite de oliva

Para la salsa:

125g/ 4 oz de arándanos
2 cucharadas de jugo de naranja, fresco
1 naranja chica, la ralladura
50g/ 2 oz de azúcar morena
1 cucharada de Oporto

Nuestra sugerencia

Freír en aceite que no está bien caliente hace que los alimentos absorban más aceite que si se fríen a la temperatura adecuada. Para probar la temperatura del aceite sin que uses un termómetro, deja caer un cubo de pan en la sartén. Si se dora en 30 segundos, el aceite está a la temperatura correcta.

Ravioles de betabel con salsa cremosa de eneldo

1 En una sartén grande, calentar el aceite de oliva, agregar la cebolla y las semillas de alcaravea, y freír a fuego medio durante 5 minutos, o hasta que la cebolla esté suave y ligeramente dorada. Incorporar el betabel y freír durante 5 minutos más. En el procesador de alimentos o licuadora, licuar la mezcla de betabel hasta que esté suave, y dejar enfriar. Agregar el queso ricotta, el pan molido, la yema de huevo y el queso parmesano. Sazonar el relleno con sal y pimienta al gusto, y reservar.

2 Dividir la masa de la pasta en ocho porciones. Extender con el rodillo como si se tratara de tagliatelle, pero sin cortar las hojas a la mitad. En una superficie enharinada, colocar una hoja de pasta y servir cinco cucharadas copeteadas del relleno con una distancia de 2.5cm.

3 Humedecer las orillas y colocar una segunda hoja de pasta encima. Oprimir las orillas para sellar. Cortar en cuadros con un cortador de pasta o un cuchillo filoso. En una toalla enharinada, colocar los cuadros de pasta. En una cacerola grande, hervir agua con un poco de sal. Dejar caer los ravioles en el agua hirviendo, dejar que vuelva a hervir y cocer de 3 a 4 minutos hasta que estén "al dente".

4 Mientras, en una cacerola pequeña, calentar el aceite de nuez y agregar el eneldo picado y los granos de pimienta verde. Retirar del fuego, incorporar la crème fraîche y sazonar. Escurrir bien la pasta cocida y revolver con la salsa. Colocar en platos tibios y servir de inmediato.

Ingredientes PORCIONES 4-6

Masa para pasta, fresca
1 cucharada de aceite de oliva
1 cebolla chica, finamente picada
½ cucharadita de semillas de alcaravea o comino
175g/ 6 oz de betabel, cocido, picado
175g/ 6 oz de queso ricotta
25g/ 1 oz de pan molido
1 yema de huevo mediana
2 cucharadas de queso parmesano, rallado
Sal y pimienta negra, recién molida
4 cucharadas de aceite de nuez
4 cucharadas de eneldo, fresco, picado
1 cucharada de granos de pimienta verde, escurridos, picados en trozos grandes
6 cucharadas de crème fraîche o crema fresca

Ñoquis con salsa de jitomates cherry

1 Precalentar la parrilla justo antes de usarla. En una cacerola grande, colocar agua con sal y dejar que suelte el hervor, añadir las papas y cocer de 20 a 25 minutos hasta que estén suaves. Escurrir. Dejar enfriar lo suficiente para manipularlas, pero que aún estén calientes, pelar y colocar en un tazón grande. Machacar hasta que estén suaves, incorporar el huevo, la sal y suficiente harina para formar una masa tersa.

2 Con las manos enharinadas, hacer una pelota pequeña con la masa. Aplanar ligeramente con el dorso de un tenedor grande para hacer dumplings con surcos. Repetir con el resto de la masa. Colocar cada ñoqui sobre una toalla enharinada mientras se prepara el resto.

3 En un recipiente resistente al fuego, colocar los jitomates. Añadir el ajo, la ralladura de limón, las hierbas y el aceite de oliva. Sazonar al gusto con sal y pimienta, y espolvorear el azúcar. Cocer bajo la parrilla precalentada durante 10 minutos o hasta que los jitomates estén chamuscados y suaves, revolviendo una o dos veces.

4 Mientras, en una cacerola grande, hervir agua con un poco de sal, reducir el fuego para que hierva a fuego lento. Colocar de 6 a 8 ñoquis a la vez, cocer en tandas de 3 a 4 minutos o hasta que comiencen a subir a la superficie. Retirar con una cuchara coladora y dejar escurrir bien, en papel absorbente, antes de pasarlos a un recipiente caliente para servir; cubrir con papel aluminio. Revolver los ñoquis cocidos en la salsa de jitomate. Servir de inmediato con un poco de queso parmesano.

Ingredientes   PORCIONES 4

450g/1 lb de papas harinosas, sin pelar
1 huevo mediano
1 cucharadita de sal
75–90g/ 3–3½ oz de harina
450g/ 1 lb de jitomates cherry, rojos y naranjas, cortados en mitades a lo largo
2 dientes de ajo, pelados, finamente rebanados
Ralladura fina de ½ limón amarillo
1 cucharada de tomillo, recién picado
1 cucharada de albahaca, recién picada
2 cucharadas de aceite de oliva extra virgen, más una porción adicional para bañar
Sal y pimienta negra, recién molida
1 pizca de azúcar
Queso parmesano, recién rallado

Nuestra sugerencia

Cuando cocines los ñoquis, usa una cacerola muy grande, con 1.7 litros mínimo de agua, para que tengan espacio suficiente y no se peguen.

Pasta de moño con salsa de hierbas frescas

1 En una cacerola, hervir agua con sal. Agregar la pasta y cocer de acuerdo con las indicaciones del empaque, o hasta que esté "al dente".

2 Mientras, en una sartén de base gruesa, calentar el aceite de oliva, colocar las hierbas, la ralladura de limón, el ajo y las hojuelas de chile. Freír a fuego bajo de 2 a 3 minutos, o hasta que las hierbas adquieran un color verde intenso y se vuelvan muy aromáticas. Retirar del fuego y sazonar al gusto con sal y pimienta.

3 Escurrir bien la pasta, reservar de 2 a 3 cucharadas del agua de la cocción. Pasar la pasta a un tazón grande tibio.

4 Bañar la pasta con la mezcla de hierbas caliente y revolver muy bien. Verificar y ajustar la sazón, agregando un poco del agua de la cocción en caso de que la pasta se vea un poco seca. Pasar a platos tibios y servir de inmediato con queso parmesano rallado.

Ingredientes   PORCIONES 6

375g/ 13 oz de pasta de moño o farfalle
2 cucharadas de perejil de hoja lisa, recién picado
2 cucharadas de albahaca, recién picada
1 cucharada de cebollín, recién trozado
1 cucharada de perifollo, recién picado
1 cucharada de estragón, recién picado
1 cucharada de salvia, recién picada
1 cucharada de orégano, recién picado
1 cucharada de mejorana, recién picada
1 cucharada de tomillo, recién picado
1 cucharada de romero, recién picado
Ralladura fina de ½ limón amarillo
75ml/ 3 oz de aceite de oliva extra virgen
2 dientes de ajo, pelados, finamente picados
½ cucharadita de hojuelas de chile seco
Sal y pimienta negra, recién molida
Queso parmesano, recién rallado

Fettuccine con langostinos Louisiana

1 En una cacerola grande, calentar 2 cucharadas de aceite de oliva y agregar las cáscaras y las cabezas de los langostinos que se reservaron. Freír a fuego muy alto de 2 a 3 minutos, hasta que las cáscaras se pongan rosas y estén ligeramente doradas. Añadir la mitad de los chalotes, la mitad del ajo, la mitad de la albahaca y de la zanahoria, la cebolla, el apio, el perejil y el tomillo. Sazonar ligeramente con sal, pimienta y pimienta de Cayena, y saltear de 2 a 3 minutos, revolviendo con frecuencia. Verter el vino y revolver, raspando bien la cacerola. Dejar que suelte el hervor y cocinar a fuego lento durante 30 minutos, revolviendo con frecuencia y aplastando las cáscaras de los langostinos con una cuchara de madera para que suelten todo el sabor posible en la salsa. Bajar la flama si la salsa se reduce muy rápido. Pasar por un colador, extrayendo todo el líquido que sea posible, que debe ser de 450ml aproximadamente. En una cacerola limpia, verter el líquido y dejar que suelte el hervor, bajar la flama y cocinar a fuego lento hasta que el líquido se reduzca a la mitad.

2 En una sartén, calentar el resto del aceite a fuego alto y agregar los langostinos pelados. Sazonar ligeramente y añadir el jugo de limón. Cocinar durante 1 minuto, bajar la flama e incorporar el resto de los chalotes y del ajo. Cocinar durante 1 minuto. Vaciar la salsa y ajustar el sazón. Mientras, en una cacerola grande, hervir agua con sal y agregar el fettuccine. Una vez cocido, escurrir muy bien. Transferir a un plato tibio. Añadir la salsa y revolver bien. Adornar con el resto de la albahaca y servir de inmediato.

Ingredientes   PORCIONES 4

4 cucharadas de aceite de oliva
450g/ 1 lb de langostinos tigre
  crudos, lavados y pelados, con las
  cabezas y las cáscaras reservadas
2 chalotes, pelados, finamente
  picados
4 dientes de ajo, pelados, finamente
  picados
1 puño grande de hojas de albahaca
  fresca
1 zanahoria, pelada, finamente
  picada
1 cebolla, finamente picada
1 tallo de apio, finamente picado
2-3 ramitos de perejil fresco
2-3 ramitos de tomillo fresco
Sal y pimienta negra, recién molida
1 pizca de pimienta de Cayena
175ml/ 6 oz de vino blanco seco
450g/ 1lb de jitomates maduros,
  picados en trozos gruesos
½ limón amarillo, el jugo, o al gusto
350g/ 2 oz de fettuccine o tallarines

Gnocchetti con brócoli y salsa de tocino

1 En una cacerola grande, hervir agua con sal. Añadir los racimos de brócoli y cocer de 8 a 10 minutos, o hasta que estén muy suaves. Colar bien, dejar enfriar un poco y picar finamente, reservar.

2 En una sartén grande de base gruesa, calentar el aceite, añadir la pancetta o el tocino y freír a fuego medio durante 5 minutos, o hasta que esté dorado y crujiente. Agregar la cebolla y freír durante 5 minutos más, o hasta que esté suave y ligeramente dorada. Añadir el ajo y freír durante 1 minuto.

3 Transferir el brócoli picado a la mezcla de la panceta y verter la leche. Dejar que suelte el hervor poco a poco, cocinar a fuego lento durante 15 minutos, o hasta que reduzca y adquiera una consistencia cremosa.

4 Mientras, en una cacerola grande, hervir agua con un poco de sal a fuego alto. Agregar la pasta y cocer siguiendo las indicaciones del empaque, o hasta que esté "al dente".

5 Colar muy bien la pasta, reservar un poco del líquido de la cocción. Incorporar la pasta y el queso parmesano a la mezcla del brócoli. Revolver y añadir suficiente agua de la cocción para obtener una salsa cremosa. Sazonar al gusto con sal y pimienta. Servir de inmediato con queso parmesano extra.

Ingredientes PORCIONES 6

540g/ 1 lb de racimos de brócoli
4 cucharadas de aceite de oliva
50g/ 2 oz de pancetta o tocino ahumado, finamente picado
1 cebolla pequeña, finamente picada
3 dientes de ajo, pelados, rebanados
200ml/ 7 oz de leche
450g/ 1 lb de pasta gnocchetti (conchas pequeñas de forma alargada)
50g/ 2 oz de queso parmesano, recién rallado, y 1 porción extra para servir
Sal y pimienta negra, recién molida

Dato culinario

La pancetta es un tocino italiano veteado y puede ser ahumado o sin ahumar. Puedes comprarla rebanada o en trozo, aunque generalmente se vende empaquetada, cortada en cubos pequeños, lista para cocinarse. Cuando está cortado en pedazos gruesos, el tocino ahumado es una buena alternativa.

Pollo especiado con ravioles abiertos y salsa de tomate

1 En una sartén, calentar el aceite, agregar la cebolla y freír a fuego lento de 2 a 3 minutos, añadir el comino, la paprika y la canela, y freír durante 1 minuto más. Incorporar el pollo, sazonar al gusto con sal y pimienta y cocinar de 3 a 4 minutos, o hasta que esté suave. Añadir la crema de cacahuate, revolver muy bien y reservar.

2 En una sartén, fundir la mantequilla, agregar los chalotes y freír durante 2 minutos. Añadir los tomates y el ajo, sazonar al gusto. Dejar a fuego lento durante 20 minutos, o hasta que espese, y conservar la salsa tibia.

3 Cortar cada hoja de lasaña en seis cuadros. En una cacerola grande, hervir agua con un poco de sal. Agregar los cuadros de lasaña y cocer de acuerdo a las indicaciones del empaque, de 3 a 4 minutos, o hasta que esté "al dente". Escurrir bien las piezas de lasaña, reservar y conservar calientes.

4 Colocar en capas los cuadros de lasaña con el relleno especiado en platos tibios. Verter un poco de la salsa de jitomate y espolvorear con cilantro picado. Servir de inmediato.

Ingredientes PORCIONES 2-3

2 cucharadas de aceite de oliva
1 cebolla, finamente picada
1 cucharadita de comino molido
1 cucharadita de paprika picante
1 cucharadita de canela, molida
175g/ 6 oz de pechuga de pollo, deshuesada y sin piel, picada
Sal y pimienta negra, recién molida
1 cucharada de crema de cacahuate suave
50g/ 2 oz de mantequilla
1 chalote, pelado, finamente picado
2 dientes de ajo, pelados, machacados
1 lata de 400g de tomates picados
125g/ 4 oz de lasaña de huevo fresca
2 cucharadas de cilantro, recién picado

Nuestra sugerencia

Recuerda que la pasta debe estar fresca, por lo que se recomienda comprarla con dos días de anticipación máximo, y de preferencia el día que la ocupes. Como está hecha con huevo fresco, siempre debe almacenarse en el refrigerador.

Conchiglioni con cangrejo al gratín

1 Precalentar el horno a 200°C/ 400°F 15 minutos antes de cocinar. En una cacerola grande, hervir agua con un poco de sal. Agregar las conchas de pasta y cocer de acuerdo con las indicaciones del empaque, o hasta que esté "al dente". Escurrir muy bien y dejar que se seque por completo.

2 En una sartén de base gruesa, fundir la mantequilla, agregar los chalotes y el chile, cocinar durante 2 minutos, y añadir la carne de cangrejo. Rellenar las conchas frías con la mezcla de cangrejo y reservar.

3 En una cacerola pequeña, fundir el resto de la mantequilla e incorporar la harina. Cocinar durante 1 minuto, luego agregar el vino y la leche sin dejar de revolver hasta que espese. Añadir la crème fraîche y el queso rallado, sazonar la salsa al gusto con sal y pimienta.

4 En una charola para hornear grande, ligeramente engrasada, colocar las conchas rellenas de cangrejo y bañar con un poco de la salsa. Agregar el pan molido a la mantequilla derretida o al aceite, y espolvorear en la pasta. Hornear durante 10 minutos. Servir de inmediato con salsa de queso o de jitomate y acompañar con ensalada verde o verduras baby cocidas.

Ingredientes PORCIONES 4

175g/ 6 oz de pasta de concha grande
50g/ 2 oz de mantequilla
1 chalote, pelado, finamente picado
1 chile ojo de pájaro, sin semillas, finamente picado
2 latas de 200g de carne de cangrejo, escurrida
3 cucharadas de harina
50ml/ 2 oz de vino blanco
50ml/ 2 oz de leche
3 cucharadas de crème fraîche o crema fresca
15g/ ½ oz de queso Cheddar, rallado
Sal y pimienta negra, recién molida
1 cucharada de aceite o mantequilla derretida
50g/ 2 oz de pan molido fresco

Para acompañar:
Salsa de queso o de jitomate
Ensalada verde o verduras baby cocidas

Triángulos de pasta con pesto y aderezo de nuez

1 Precalentar la parrilla a fuego alto. Cortar las hojas de lasaña a la mitad y luego en triángulos, reservar. Revolver el pesto con el queso ricotta y calentar a fuego bajo en una cacerola.

2 Tostar las nueces en la parrilla precalentada hasta que se doren. Frotar para quitar la piel delgada. Colocar las nueces en el procesador de alimentos junto con el pan, moler finamente.

3 En un tazón, mezclar la crema agria con el queso mascarpone. Agregar las nueces y el queso de cabra rallado, sazonar al gusto con sal y pimienta. Incorporar el aceite de oliva y revolver bien. Verter en una cacerola y calentar.

4 En una cacerola grande, hervir agua con un poco de sal. Agregar los triángulos de pasta y cocer de acuerdo con las indicaciones del empaque, de 3 a 4 minutos, o hasta que esté "al dente".

5 Escurrir bien la pasta y acomodar unos cuantos triángulos en cada plato. Servir una cucharada de la mezcla de pesto y colocar otro triángulo encima. Continuar con las capas de pasta y pesto, servir un poco de la salsa de nuez sobre cada triángulo. Adornar con eneldo, albahaca o perejil y servir de inmediato con ensalada de jitomate y pepino recién aderezada.

Ingredientes   PORCIONES 6

450g/ 1 lb de lasaña de huevo fresca
4 cucharadas de queso ricotta
4 cucharadas de pesto
152g/ 4 oz de nueces de Castilla
1 rebanada de pan blanco, sin la corteza
150ml de crema agria
75g/ 3 oz de queso mascarpone
25g/ 1 oz de queso de cabra, rallado
Sal y pimienta negra, recién molida
1 cucharada de aceite de oliva
1 ramito de eneldo, o albahaca, o perejil, recién picado, para adornar
Ensalada de jitomate y pepino

Consejo

Para preparar una ensalada de jitomate y pepino sencilla, acomodar rebanadas delgadas de pepino y de jitomate una sobre otra en un plato grande. Bañar con aderezo hecho con 1 cucharadita de mostaza de Dijon, 4 cucharadas de aceite de oliva extra virgen, 1 cucharada de jugo de limón amarillo y 1 pizca de azúcar, sal y pimienta.

Fáciles platillos principales

Esta sección está llena de recetas sencillas, donde podrás encontrar una variedad de platillos bastante fáciles para los principiantes. Si planeas cocinar para otras personas, no te preocupes por los diferentes sabores, en esta sección hay para todos los gustos, desde sanos platillos con pescado, hasta carnes para los que gustan de ellas y alternativas vegetales.

Stir-fry de frutas del mar

1 Preparar los mariscos. Pelar los langostinos y, quitarles la vena negra del lomo. Enjuagar ligeramente los aros de calamar y limpiar el callo de hacha, si es necesario.

2 Retirar y desechar los mejillones que estén abiertos. Lavar y quitarles las barbas al resto de los mejillones, retirando el percebe de las conchas. Cubrir los mejillones con agua fría hasta que se usen.

3 Pelar el jengibre y rallar grueso o picar con un cuchillo afilado, colocar en un tazón pequeño.

4 En un tazón pequeño, agregar el ajo y los chiles, verter la salsa de soya y revolver bien.

5 En otro tazón, colocar los mariscos, excepto los mejillones, y bañar con la marinada. Revolver, tapar y dejar reposar durante 15 minutos.

6 En un wok, calentar el aceite hasta que casi humee. Añadir las verduras preparadas, saltear durante 3 minutos, incorporar la salsa de ciruela.

7 Agregar los mariscos y los mejillones con la marinada, saltear de 3 a 4 minutos más, o hasta que se cueza el pescado. Desechar los mejillones que no hayan abierto. Adornar con las cebollas de cambray y servir de inmediato con arroz recién cocido.

Ingredientes   PORCIONES 4

450g/ 1 lb de mezcla de mariscos, como langostinos tigre, calamar, callo de hacha y mejillones
1 pieza de 2.5cm de jengibre fresco
2 dientes de ajo, pelados, machacados
2 chiles verdes, sin semillas, finamente picados
3 cucharadas de salsa de soya clara
2 cucharadas de aceite de oliva
200g/ 7 oz de elotitos, enjuagados
200g/ 7 oz de puntas de espárragos, cortadas en mitades
200g/ 7 oz de chícharos chinos, cortados
2 cucharadas de salsa de ciruela
4 cebollas de cambray, cortadas en tiras finas, para adornar
Arroz recién cocido

Nuestra sugerencia

Cuando saltees, es importante que el wok se caliente antes de agregar el aceite. Esto es para que la comida no se pegue al wok.

Sardinas con grosella roja

1 Precalentar la parrilla y forrar la rejilla de la parrilla con papel aluminio de 2 a 3 minutos antes de comenzar.

2 Poner un tazón dentro de una cacerola con agua hirviendo a fuego lento, calentar la jalea y revolver hasta que esté suave. Agregar la ralladura de limón y el jerez, revolver hasta incorporar bien.

3 Enjuagar un poco las sardinas, secar con papel absorbente.

4 En una tabla para picar, colocar las sardinas y con un cuchillo filoso hacer varios cortes en diagonal en la carne. Sazonar las cavidades con sal y pimienta.

5 Barnizar la piel y el interior de las cavidades con la marinada caliente.

6 Acomodar sobre la rejilla de la parrilla, cocer bajo la parrilla precalentada de 8 a 10 minutos, o hasta que las sardinas estén cocidas.

7 Con cuidado, voltear las sardinas por lo menos una vez durante la cocción. Bañar ocasionalmente con el resto de la marinada de grosella y limón. Decorar con la grosella. Servir de inmediato con la ensalada y las rodajas de limón.

Ingredientes   PORCIONES 4

2 cucharadas de jalea de grosella roja
Ralladura fina de 1 limón verde
2 cucharadas de jerez semiseco
450g/ 1 lb de sardinas frescas, limpias, sin cabezas
Sal de mar y pimienta negra, recién molida
Rodajas de limón verde, para decorar

Para acompañar:

Grosellas rojas, frescas
Ensalada verde, fresca

Nuestra sugerencia

Casi todos los pescados se venden ya limpios, pero es fácil hacerlo en casa. Con el lado del cuchillo que no tiene filo, raspa las escamas desde la cola hacia la cabeza. Con un cuchillo filoso haz un corte a lo largo de la parte inferior. Raspa con cuidado para sacar las vísceras y enjuaga bien bajo el chorro de agua fría. Seca con papel absorbente.

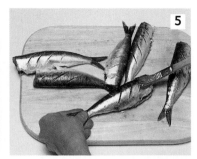

Filetes de bacalao con jengibre

1 Precalentar la parrilla y forrar la rejilla de la parrilla con una capa de papel aluminio. Rallar grueso el jengibre. Recortar las cebollas de cambray y cortar en tiras finas.

2 Mezclar las cebollas de cambray, el jengibre, el perejil picado y el azúcar. Agregar 1 cucharada de agua.

3 Con un trapo, secar los filetes. Sazonar al gusto con sal y pimienta. Colocar cada filete en un cuadrado de papel aluminio de 20.5 x 20.5cm.

4 Con cuidado, colocar la mezcla de la cebolla de cambray y jengibre sobre cada pescado.

5 Cortar la mantequilla en cubos pequeños y colocar encima del pescado.

6 Doblar holgadamente el papel sobre los filetes para encerrarlos y hacer un paquete.

7 Colocar bajo la parrilla precalentada de 10 a 12 minutos o hasta que estén cocidos y la carne se haya vuelto opaca.

8 Colocar los paquetes de pescado en platos individuales. Servir de inmediato con verduras recién cocidas.

Ingredientes PORCIONES 4

1 pieza de 2.5cm de jengibre fresco, pelado
4 cebollas de cambray
2 cucharaditas de perejil, recién picado
1 cucharada de azúcar morena
4 filetes de bacalao gruesos, de 175g/ 6 oz
Sal y pimienta negra, recién molida
25g/ 1 oz de mantequilla, reducida en grasa
Verduras recién cocidas

Consejo

¿Qué te parece servir este platillo con papitas cambray en papillote (empapeladas)? Coloca las papitas en papel encerado de doble grosor, junto con unos cuantos dientes de ajo pelados. Baña con un poco de aceite de oliva y sazona bien con sal y pimienta negra. Dobla las orillas del papel hacia dentro y asa en el horno a 180°C/ 350°F de 40 a 50 minutos antes de servir.

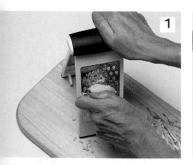

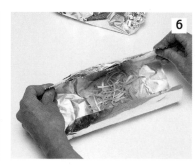

Caballa ahumada con ensalada de papas

1 En un tazón pequeño, colocar la mostaza en polvo y la yema de huevo, sazonar con sal y pimienta, y batir para mezclar. Verter el aceite, poco a poco, a la mezcla del huevo, batiendo continuamente. Cuando la mayonesa esté espesa, agregar el jugo de limón, poco a poco, hasta que la mezcla tenga consistencia suave y brillante. Reservar.

2 En una cacerola, cocer las papas en agua hirviendo con sal hasta que estén suaves, y escurrir. Dejar enfriar un poco, cortar en mitades o en cuartos, dependiendo del tamaño. Devolver a la cacerola y revolver con la mantequilla.

3 Quitar la piel de los filetes de caballa y desmenuzar. Agregar a la cacerola de las papas junto con el apio.

4 Licuar 4 cucharadas de la mayonesa con la crema de rábano y la crème fraîche. Sazonar al gusto con sal y pimienta, y agregar a la mezcla de las papas y el pescado, revolver un poco.

5 En 4 platos para servir, acomodar la lechuga y los jitomates. Colocar la mezcla del pescado ahumado sobre las lechugas, espolvorear un poco de pimienta molida y servir con el resto de la mayonesa.

Ingredientes   PORCIONES 4

½ cucharadita de mostaza en polvo
1 yema de huevo grande
Sal y pimienta negra, recién molida
150ml de aceite de girasol
1 - 2 cucharadas de jugo de limón amarillo
450g/ 1 lb de papitas cambray
25g/ 1 oz de mantequilla
350g/ 12 oz de filetes de caballa ahumada
4 tallos de apio, finamente picados
3 cucharadas de crema de rábano picante
150ml de crème fraîche o crema fresca
1 lechuga cos pequeña, enjuagada, en trozos
8 jitomates cherry, en mitades

Nuestra sugerencia

Al preparar la mayonesa asegúrate de que los ingredientes estén a temperatura ambiente o puede cuajarse. Para hacerla más rápido, puedes prepararla en el procesador de alimentos: licua brevemente la mostaza, la yema, la sal, la pimienta y el jugo de limón y, sin apagar el motor, vierte el aceite.

Bacalao rebozado y papas fritas

1   En un tazón, disolver la levadura con un poco de la cerveza y
mezclar para formar una pasta. Verter el resto de la cerveza sin
dejar de revolver hasta que esté suave. En otro tazón, colocar la
harina y la sal y verter poco a poco la mezcla de la cerveza,
revolviendo constantemente para hacer una mezcla espesa y
tersa. Cubrir el tazón y dejar reposar a temperatura ambiente
durante 1 hora.

2   Pelar las papas y cortar en tiras gruesas. Colocarlas en una sartén
de teflón y calentar, agitando la sartén, hasta que se haya
evaporado toda la humedad. Dejar que se sequen sobre papel
absorbente.

3   Calentar el aceite a 180°C/ 350°F y freír las papas, en tandas, de
4 a 5 minutos, hasta que estén crujientes y doradas. Escurrir
sobre papel absorbente y mantener calientes.

4   Secar los filetes de bacalao, cubrirlos con la harina. Sumergir los
filetes en la mezcla reservada. Freír de 2 a 3 minutos hasta que
estén cocidos y crujientes, dejar escurrir. Adornar con las
rodajas de limón y el perejil, servir de inmediato con las papas,
salsa catsup y vinagre.

Ingredientes   PORCIONES 4

15g/ ½ oz de levadura fresca
300ml de cerveza
225g/ 8 oz de harina
1 cucharadita de sal
700g/ 1 ½ lb de papas
450ml de aceite de cacahuate
4 filetes de bacalao, de 225g/ 8 oz
    cada uno, sin piel, sin hueso
2 cucharadas de harina sazonada

Para decorar:

Rodajas de limón amarillo
Ramitas de perejil de hoja lisa

Para acompañar:

Salsa catsup
Vinagre

Nuestra sugerencia

La levadura fresca se compra en
tiendas de alimentos naturales,
supermercados con panadería y en
algunas panaderías. Verifica que esté
húmeda y de color cremoso, con un
fuerte olor a levadura. Si está seca,
descolorida o hecha grumos, es
posible que esté rancia y no
funcionará bien.

Stir-fry de salmón con chícharos

1 Secar el salmón, quitarle la piel y las espinas. Rebanar en tiras de 2.5cm, colocar en un plato y espolvorear con sal. Dejar reposar durante 20 minutos, secar con papel absorbente y reservar.

2 Retirar el exceso de grasa del tocino, cortar en pedazos pequeños, reservar.

3 Calentar un wok o sartén grande a fuego alto, añadir el aceite, agregar el tocino y sofreír durante 3 minutos o hasta que esté crujiente y dorado. Hacer el tocino a un lado y añadir las rebanadas de salmón. Sofreír revolviendo ligeramente durante 2 minutos o hasta que la carne se vuelva opaca.

4 Verter al wok el caldo de pollo o de pescado, la salsa de soya y el vino de arroz o jerez, incorporar el azúcar, los chícharos y la menta recién picada.

5 Diluir la maicena con 1 cucharada de agua hasta formar una pasta suave y agregar a la salsa. Dejar que suelte el hervor, reducir el fuego y cocinar a fuego lento durante 1 minuto, o hasta que esté ligeramente espesa y suave. Adornar con ramitas de menta y servir de inmediato con noodles.

Ingredientes   PORCIONES 4

450g/ 1 lb de filete de salmón
Sal
6 rebanadas de tocino
1 cucharada de aceite vegetal
50ml/ 2 oz de caldo de pollo o de pescado
2 cucharadas de salsa de soya oscura
2 cucharadas de vino de arroz chino o jerez seco
1 cucharadita de azúcar
75g/ 3 oz de chícharos congelados, descongelados
1 - 2 cucharadas de menta, recién picada
1 cucharadita de maicena
Ramitas de menta fresca, para decorar
Noodles o tallarines recién cocidos

Nuestra sugerencia

Al espolvorear el salmón con sal, pierde parte del jugo y su carne se vuelve más firme, de manera que no se desmenuza al cocerse. Antes de cocinar, seca las tiras con toallas de papel absorbente para retirar la mayor cantidad de líquido salado posible. En esta receta usamos salsa de soya oscura pues es un poco menos salada que la clara.

Ensalada de atún fresco

1 Lavar las hojas para ensalada, colocarlas en un tazón grande junto con los jitomates cherry y la rúcula, y reservar.

2 Calentar el wok, agregar el aceite y calentar hasta que casi humee. Añadir el atún, con la piel hacia abajo, y freír de 4 a 6 minutos, volteando una vez, o hasta que esté cocido y la carne se desmenuce fácilmente. Retirar del fuego y dejar reposar en los jugos durante 2 minutos antes de sacarlo.

3 Mientras, preparar el aderezo. En un tazón pequeño o en una jarra con tapa de rosca, colocar el aceite de oliva, la ralladura y el jugo de limón y la mostaza, batir o agitar hasta que estén bien incorporados. Sazonar al gusto con sal y pimienta.

4 Pasar el atún a una tabla limpia para picar, desmenuzar y añadir a la ensalada, revolver ligeramente.

5 Con un pelador para verduras, cortar el queso parmesano en láminas. Dividir la ensalada en 4 platos grandes, bañar con el aderezo, esparcir encima las láminas de queso.

Ingredientes   PORCIONES 4

225g/ 8 oz de hojas mixtas para ensalada
225g/ 8 oz de jitomates cherry, en mitades, a lo largo
125g/ 4 oz de hojas de rúcula, lavadas
2 cucharadas de aceite de cacahuate
550g/ 1 ¼ lb de filetes de atún, sin hueso, cada uno en 4 trozos pequeños
50g/ 2 oz de queso parmesano, en trozo

Para el aderezo:

8 cucharadas de aceite de oliva
Ralladura y jugo de 2 limones amarillos, pequeños
1 cucharada de mostaza de grano entero
Sal y pimienta negra, recién molida

Nuestra sugerencia

En muchos supermercados encuentras bolsas de hojas mixtas para ensalada. Aunque pueden parecer costosas, se desperdicia muy poco y te ahorran tiempo. Enjuaga las hojas antes de usarlas.

Brochetas de rape con limón

1 Precalentar la parrilla y forrar la rejilla con papel aluminio. Revolver todos los ingredientes de la marinada en un tazón chico, y reservar.

2 Con un cuchillo filoso, cortar ambos lados de la cola del pescado. Sacar las espinas y desechar. Quitar y desechar la piel, y partir el rape en cubos comestibles.

3 Pelar los camarones, dejando las colas intactas y retirar la vena negra delgada que se encuentra en el lomo de cada camarón. Colocar el pescado y los camarones en un recipiente poco profundo.

4 Bañar el pescado y los camarones con la marinada. Tapar ligeramente y dejar marinar en el refrigerador durante 30 minutos. Con una cuchara, bañar el pescado y los camarones de vez en cuando durante este tiempo. Remojar las brochetas en agua fría durante 30 minutos, y escurrir.

5 Ensartar los cubos de pescado, los camarones y las calabazas en las brochetas escurridas. Acomodar en la reja de la parrilla, poner debajo de la parrilla precalentada y cocinar de 5 a 7 minutos, o hasta que estén bien cocidos y los camarones estén de color rosa. De vez en cuando, barnizar con el resto de la marinada y voltear las brochetas durante la cocción.

6 Mezclar 2 cucharadas de la marinada con la crema y servir como dip para las brochetas.

Ingredientes   PORCIONES 4

Para la marinada:
1 cucharada de aceite de girasol
jugo y ralladura fina de 1 limón
1 cucharada de jugo de limón
1 ramita de romero fresco, picado
1 cucharada de semillas de mostaza
1 diente de ajo, pelado y machacado
pimienta negra recién molida

Para las brochetas:
450g/ 1 lb de cola de rape
8 camarones crudos
1 cabalaza pequeña, sin las puntas, rebanada
4 cucharadas de crema semidesgrasada

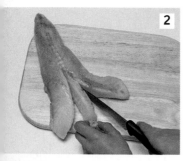

Papas supremas al horno

1 Precalentar el horno a 200°C/ 350°F. Lavar las papas y picar la superficie con un tenedor, o encajar 2 papas en dos brochetas grandes de metal. Colocarlas en el horno de 1 a 1½ horas o hasta que se sientan suaves al tocarlas.

2 Antes de que las papas terminen de cocerse, calentar el aceite en una sartén y freír la zanahoria con el apio durante 2 minutos. Tapar bien la sartén y freír durante 5 minutos más, o hasta que las verduras estén cocidas.

3 Cuando las papas estén listas, dejar que se enfríen un poco antes de cortarlas a la mitad. Con una cuchara, sacar la pulpa y colocarla en un tazón, dejando las cáscaras firmes. Machacar la pulpa de las papas, incorporar la mantequilla y seguir machacando hasta que la mantequilla se funda.

4 Agregar las verduras cocidas al tazón de las papas machacadas y mezclar bien. Incorporar la carne de cangrejo y las cebollas de cambray, sazonar al gusto con sal y pimienta.

5 Rellenar las cáscaras de papa con la mezcla y presionar firmemente. Espolvorear con el queso rallado y devolver las papas al horno de 12 a 15 minutos hasta que estén calientes, doradas y burbujeantes. Servir de inmediato con ensalada de jitomate.

Ingredientes   PORCIONES 4

4 papas grandes para hornear
40g/ 1½ oz de mantequilla
1 cucharada de aceite de girasol
1 zanahoria, pelada, picada
2 tallos de apio, finamente picados
1 lata de 200g de carne blanca de cangrejo
2 cebollas de cambray, finamente picadas
sal y pimienta negra, recién molida
50g/ 2 oz de queso cheddar, rallado
Ensalada de jitomate

Consejo

Encajar las papas en brochetas de metal ayuda a que se cuezan de un modo más uniforme y más rápido pues el metal conduce el calor hacia el centro de las papas durante la cocción. Para que la piel quede más crujiente, frótalas con aceite y espolvorea un poco de sal antes de hornearlas.

Ensalada caliente de pollo y papas con chícharos y menta

1 Cocer las papas en agua hirviendo con un poco de sal durante 15 minutos, o hasta que estén apenas suaves al perforarlas con la punta de un cuchillo filoso; no cocer en exceso. Enjuagar bajo el chorro de agua para que se enfríen un poco, escurrir y colocar en un tazón grande. Bañar con el vinagre de sidra y revolver ligeramente.

2 Colocar los chícharos bajo el chorro de agua fría para asegurar que estén descongelados, secar con papel absorbente y añadir a las papas.

3 Cortar el aguacate en mitades a lo largo y retirar el hueso. Pelar y cortar el aguacate en cubos, añadir a las papas y a los chícharos. Agregar el pollo y revolver ligeramente.

4 Para hacer el aderezo, en una jarra con tapa de rosca colocar todos los ingredientes con un poco de sal y pimienta y agitar bien para mezclar; añadir un poco más de aceite si el sabor es demasiado fuerte. Verter sobre la ensalada y revolver un poco para mezclar. Espolvorear la mitad de la menta y revolver otro poco.

5 Separar las hojas de la lechuga y acomodar en un platón grande. Colocar la ensalada encima y espolvorear con el resto de la menta. Adornar con las ramitas de menta y servir.

Ingredientes PORCIONES 4-6

450g/ 1 lb de papitas cambray, peladas, cortadas en trozos
Sal y pimienta negra, recién molida
2 cucharadas de vinagre de sidra
175g/ 6 oz de chícharos congelados, descongelados
1 aguacate pequeño, maduro
4 pechugas de pollo, de 450g/ 1 lb en total, cocidas, sin piel, cortadas en cubos
2 cucharadas de menta, recién picada
2 corazones de lechuga
Ramitas de menta fresca, para decorar

Para el aderezo:

2 cucharadas de vinagre de frambuesa o de jerez
2 cucharaditas de mostaza de Dijon
1 cucharadita de miel
50ml/ 2 oz de aceite de girasol
50ml/ 2 oz de aceite de oliva extra virgen

Pavo teriyaki con verduras orientales

1 Cortar el chile a la mitad, quitar las semillas, rebanar finamente. En un tazón pequeño colocar el chile junto con el ajo, el jengibre, la salsa de soya y el aceite de girasol.

2 Cortar el pavo en tiras finas. Añadir a la mezcla y revolver hasta que esté bien cubierto. Tapar con plástico adherente y dejar marinar en el refrigerador durante 30 minutos por lo menos.

3 En un wok o sartén grande calentar el aceite. Añadir 2 cucharaditas del aceite de ajonjolí. Cuando esté caliente retirar el pavo de la marinada y agregarlo al wok. Freír revolviendo de 2 a 3 minutos o hasta que esté dorado y cocido. Retirar del wok y reservar. Calentar en el wok la cucharadita de aceite restante. Agregar las semillas de ajonjolí y freír revolviendo durante unos segundos hasta que comiencen a tomar color.

4 Añadir las zanahorias, el puerro y el brócoli, freír revolviendo de 2 a 3 minutos.

5 Batir la maicena con 1 cucharada de agua fría para obtener una pasta. Incorporar el jerez y la marinada. Agregar al wok junto con la berenjena y cocinar durante 1 minuto, revolviendo, hasta que la salsa espese.

6 Devolver el pavo al wok y continuar la cocción de 1 a 2 minutos o hasta que el pavo esté caliente, las verduras estén suaves y la salsa burbujee. Servir de inmediato con los noodles de arroz. Espolvorear las semillas de ajonjolí encima.

Ingredientes   PORCIONES 4

1 chile rojo
1 diente de ajo, pelado, machacado
Raíz de jengibre de 2.5cm, pelada, rallada
3 cucharadas de salsa de soya oscura
1 cucharada de aceite de girasol
350g/ 12 oz de pechugas de pavo, sin piel, sin hueso
1 cucharada de aceite de ajonjolí
1 cucharada de semillas de ajonjolí
2 zanahorias, peladas, cortadas en juliana
1 puerro, recortado, rallado
125g/ 4 oz de brócoli, cortado en tiras finas
1 cucharadita de maicena
3 cucharadas de jerez seco
125g/ 4 oz de berenjenas, cortadas en tiras finas

Para acompañar:

Noodles de arroz, recién cocidos
Semillas de ajonjolí

Hash de pavo con papas y betabel

1 En una sartén grande de base gruesa, calentar el aceite y la mitad de la mantequilla a fuego medio. Agregar el tocino y freír durante 4 minutos o hasta que esté crujiente y dorado, revolviendo ocasionalmente. Con una cuchara coladora, pasar a un tazón grande. Añadir la cebolla a la sartén y freír de 3 a 4 minutos o hasta que esté suave y dorada, revolviendo con frecuencia.

2 Mientras, agregar el pavo, las papas, el perejil y la harina al tazón del tocino frito. Revolver un poco e incorporar el betabel picado.

3 Añadir el resto de la mantequilla a la sartén, agregar el pavo y la mezcla de las verduras. Revolver y esparcir uniformemente la mezcla en el fondo de la sartén. Cocinar durante 15 minutos, o hasta que la parte inferior esté crujiente y dorada, presionando con firmeza con una espátula para obtener un pastel. Retirar del fuego.

4 Colocar un plato volteado sobre la sartén, sostener ambos firmemente usando guantes de cocina y voltear para que el hash quede sobre el plato. Calentar el resto de la mantequilla en la sartén, devolver el hash a la sartén y cocinar durante 4 minutos o hasta que esté crujiente y dorado del otro lado. Voltear sobre el plato y servir de inmediato con ensalada verde.

Ingredientes PORCIONES 4-6

2 cucharadas de aceite vegetal
50g/ 2 oz de mantequilla
4 rebanadas de tocino, picado o rebanado
1 cebolla mediana, finamente picada
450g/ 1 lb de pavo cocido, en cubos
450g/ 1 lb de papas, cocidas, picadas en trozos medianos
2–3 cucharadas de perejil, recién picado
2 cucharadas de harina
250g/ 9 oz de betabel mediano, cocido, picado
Ensalada verde

Consejo

Por lo general, el hash se hace sólo con papas, pero aquí las mezclamos con betabel, lo cual le da un color vivo y un dulce sabor terroso al platillo. Asegúrate de comprar betabel cocido y no del que se vende en vinagre.

Fajitas de res con salsa de aguacate

1 Calentar un wok, verter el aceite, y sofreír la carne de 3 a 4 minutos. Agregar el ajo y las especias, cocinar durante 2 minutos más. Añadir el tomate al wok, dejar que suelte el hervor, tapar y cocinar a fuego lento durante 5 minutos.

2 Mientras, en el procesador de alimentos, licuar los frijoles rojos hasta romperlos un poco, y añadir al wok. Continuar cocinando durante 5 minutos, y añadir de 2 a 3 cucharadas de agua. La mezcla debe estar espesa y un poco seca. Incorporar el cilantro picado.

3 Aparte mezclar el aguacate, el chalote, el tomate, el chile y el jugo de limón. Pasar a un plato y reservar.

4 Justo antes de servir, calentar las tortillas y untarles un poco de crema agria. Colocar encima una cucharada de la mezcla de la carne, después una cucharada de la salsa de aguacate y enrollar. Repetir hasta usar toda la mezcla. Servir de inmediato con ensalada verde.

Ingredientes   PORCIONES 3-6

2 cucharadas de aceite de girasol
450/ 1 lb de bisteces de filete o de pulpa de res, cortados en tiras finas
2 dientes de ajo, pelados, machacados
1 cucharadita de comino, molido
¼ cucharadita de pimienta de Cayena
1 cucharada de paprika
230g/ 8 oz de tomates de lata, picados
215g/ 7½ oz de frijoles rojos, de lata, colados
1 cucharada de cilantro, recién picado
1 aguacate, pelado, sin hueso, picado
1 chalote, pelado, picado
1 jitomate grande, sin piel, sin semillas, picado
1 chile rojo, picado
1 cucharada de jugo de limón amarillo
6 tortillas de harina grandes
3 - 4 cucharadas de crema agria
Ensalada verde

Nuestra sugerencia

No prepares con anticipación la salsa de aguacate porque tiende a oscurecerse. Si la haces con anticipación, cúbrela con plástico adherente.

Pasta con carne de res, alcaparras y aceitunas

1 En una sartén grande, calentar el aceite de oliva a fuego alto. Agregar la carne y freír, revolviendo, de 3 a 4 minutos, o hasta que se dore. Retirar de la sartén con una cuchara coladora y reservar.

2 Bajar la flama, agregar las cebollas de cambray y el ajo a la sartén, freír durante 1 minuto. Agregar las calabacitas y el pimiento, cocinar de 3 a 4 minutos.

3 Añadir el orégano, las alcaparras y las aceitunas junto con los tomates picados. Sazonar con sal y pimienta al gusto, y cocinar a fuego lento durante 7 minutos, revolviendo ocasionalmente. Devolver la carne a la sartén y cocinar a fuego lento de 3 a 5 minutos, o hasta que la salsa espese ligeramente.

4 Mientras, en una cacerola grande, hervir agua con un poco de sal. Agregar la pasta y cocer de acuerdo con las indicaciones del empaque, o hasta que esté "al dente".

5 Escurrir bien la pasta. Devolver a la cacerola y añadir la salsa de res. Revolver hasta que la pasta quede ligeramente cubierta. Colocar en un platón caliente o en platos individuales. Espolvorear con perejil y servir de inmediato.

Ingredientes PORCIONES 4

2 cucharadas de aceite de oliva
300g/ 11 oz de bistec de pulpa de res, recortado y en tiras
4 cebollas de cambray, rebanadas
2 dientes de ajo, pelados, picados
2 calabacitas rebanadas, cortadas en tiras
1 pimiento rojo, sin semillas, cortado en tiras
2 cucharaditas de orégano, recién picado
2 cucharadas de alcaparras, escurridas y enjuagadas
2 cucharadas de aceitunas negras, sin hueso, rebanadas
400g de tomates enlatados, picados
Sal y pimienta negra, recién molida
400g/ 1 lb de fettuccine o tallarines
1 cucharada de perejil, recién picado, para adornar

Consejo

Asegúrate de que el aceite de la sartén esté bien caliente para que las tiras de carne siseen cuando se añadan. Seca la carne con una toalla de papel y cocina en dos tandas. Reserva la primera en un plato y devuélvela a la sartén con todo y los jugos.

Carne de res con chile

1 Con un cuchillo filoso, recortar la carne, desechar la grasa o el cartílago, cortar en tiras delgadas y colocar en un plato. En un tazón, revolver todos los ingredientes de la marinada y bañar la carne. Voltear la carne en la marinada hasta que se cubra de manera uniforme, tapar con plástico adherente y dejar reposar en el refrigerador cuando menos 30 minutos.

2 Calentar el wok o una sartén grande, agregar el aceite de cacahuate y calentar hasta que casi humee, añadir las zanahorias y sofreír de 3 a 4 minutos, o hasta que se suavicen. Incorporar los chícharos chinos y sofreír de 3 a 4 minutos, o hasta que estén suaves. Con una cuchara coladora, pasar las verduras a un plato y conservar calientes.

3 Sacar las tiras de res de la marinada, sacudiendo para quitar el exceso. Reservar la marinada. Agregar la carne al wok y sofreír durante 3 minutos o hasta que esté bien dorada.

4 Regresar las verduras sofritas al wok junto con el germen de soya, el chile, el ajonjolí, y cocinar durante 1 minuto. Incorporar la marinada que se reservó y sofreír de 1 a 2 minutos, o hasta que esté bien caliente. Pasar a un platón caliente o a platos individuales, y servir de inmediato con arroz recién cocido.

Ingredientes   PORCIONES 4

550g/ 1¼ lb de bisteces de pulpa de res
2 cucharadas de aceite de cacahuate
2 zanahorias, peladas, cortadas en juliana
125g/ 4 oz de chícharos chinos, en tiras
125g/ 4 oz de germen de soya
1 chile verde, sin semillas, picado
2 cucharadas de ajonjolí
Arroz recién cocido

Para la marinada:

1 diente de ajo, pelado, picado
3 cucharadas de salsa de soya
1 cucharadita de salsa de chile dulce
4 cucharadas de aceite de cacahuate

Dato culinario

La salsa de chile es una mezcla de chiles frescos machacados, ciruelas, vinagre y sal. La encuentras en diferentes variedades: extra picante, picante o dulce, como la que usamos en esta receta, que es la versión más suave.

Espagueti a la boloñesa

1 Pelar y cortar la zanahoria, picar el apio, la cebolla y el ajo. Calentar una sartén de teflón grande, saltear la carne y el tocino de 5 a 10 minutos, revolviendo ocasionalmente, hasta que doren. Agregar las verduras preparadas a la sartén y cocinar durante 3 minutos, o hasta que estén suaves, revolviendo ocasionalmente.

2 Agregar la harina y cocinar durante 1 minuto. Incorporar el vino tinto, los tomates, el puré de tomate, las hierbas, el azúcar y sazonar al gusto. Dejar que suelte el hervor, tapar y cocinar a fuego lento durante 45 minutos, revolviendo ocasionalmente.

3 Mientras, en una cacerola grande, hervir agua con un poco de sal y cocer el espagueti de 10 a 12 minutos, o hasta que esté "al dente". Escurrir bien y dividir en 4 platos. Bañar con la salsa, adornar con ramitos de orégano y servir de inmediato con muchas láminas de queso parmesano.

Ingredientes PORCIONES 4

1 zanahoria
2 tallos de apio
1 cebolla
2 dientes de ajo
450g/ 1 lb de carne de res molida, magra
225g/ 8 oz de tocino ahumado, picado
1 cucharada de harina
150ml de vino tinto
379g de tomates enlatados, picados
2 cucharadas de puré de tomate
1 cucharadita de hierbas secas mixtas
Sal y pimienta negra, recién molida
1 pizca de azúcar
350g/ 12 oz de espagueti
Ramitos de orégano fresco, para adornar
Láminas de queso parmesano, para servir

Consejo

Sirve la salsa sobre hojas de lasaña y encima baña con salsa bechamel y queso parmesano. Hornea de 30 a 40 minutos en el horno precalentado a 190°C/ 375°F, o hasta que burbujee y la parte superior esté dorada.

Pay Shepherd

1 Precalentar el horno a 200°C/ 400°F aproximadamente 15 minutos antes de hornear. En una cacerola grande, calentar el aceite y añadir la cebolla, la zanahoria y el apio. Freír a fuego medio de 8 a 10 minutos hasta que estén suaves y comiencen a dorarse.

2 Agregar el tomillo y freír brevemente, añadir el cordero cocido, el vino, el caldo y el puré de tomate. Sazonar al gusto con sal y pimienta y cocinar a fuego lento de 25 a 30 minutos, hasta que la salsa se reduzca y espese. Retirar del fuego para enfriar un poco y sazonar de nuevo.

3 Mientras, hervir las papas en suficiente agua con sal, de 12 a 15 minutos hasta que estén suaves. Colar y devolver a la cacerola a fuego lento para que se sequen. Retirar del fuego y añadir la mantequilla, la leche y el perejil. Machacar hasta que estén cremosas, añadiendo un poco más de leche si fuera necesario. Ajustar la sazón.

4 Pasar la mezcla de la carne a un recipiente resistente al fuego. Colocar el puré de papas sobre el relleno y esparcir para que lo cubra completamente. Con un tenedor marcar surcos en la superficie, colocar en una charola para horno y hornear de 25 a 30 minutos, hasta que la cubierta de papas esté dorada y el relleno muy caliente. Adornar y servir.

Ingredientes   PORCIONES 4

2 cucharadas de aceite vegetal o de oliva
1 cebolla, finamente picada
1 zanahoria, pelada, finamente picada
1 tallo de apio, finamente picado
1 cucharada de ramitas de tomillo fresco
450g/ 1 lb de asado de cordero sobrante, finamente picado
150ml de vino tinto
150ml de caldo de cordero o de verduras, o gravy sobrante
2 cucharadas de puré de tomate
Sal y pimienta negra, recién molida
700g/ 1½ lb de papas, peladas, cortadas en trozos
25g/ 1 oz de mantequilla
6 cucharadas de leche
1 cucharada de perejil, recién picado
Hierbas frescas, para decorar

Consejo

Usa carne molida de cordero fresca. Sofríe 450g/ 1 lb de carne molida magra a fuego alto hasta que esté bien dorada y sigue la receta.

Cordero arrabbiata

1 En una sartén grande, calentar 2 cucharadas de aceite de oliva y freír la carne de 5 a 7 minutos, o hasta que esté sellada. Retirar de la sartén con una cuchara coladera y reservar.

2 Calentar el resto del aceite, agregar la cebolla, el ajo y el chile, y freír hasta que estén suaves. Añadir los tomates, dejar que suelte el hervor y cocinar a fuego lento durante 10 minutos.

3 Devolver la carne dorada a la sartén con las aceitunas y verter el vino. Dejar que la salsa vuelva a hervir, bajar la flama y cocinar a fuego lento, destapado, durante 15 minutos, hasta que la carne esté suave. Sazonar al gusto con sal y pimienta.

4 Mientras, en una cacerola grande hervir agua con un poco de sal. Agregar la pasta y cocer de acuerdo con las indicaciones del empaque, o hasta que esté "al dente".

5 Escurrir la pasta, agregar la mantequilla, añadir a la salsa y revolver ligeramente. Incorporar 4 cucharadas de perejil picado, y pasar a un platón caliente. Espolvorear con el resto del perejil y servir de inmediato.

Ingredientes   PORCIONES 4

4 cucharadas de aceite de oliva
450g/ 1 lb de filetes de cordero, picados
1 cebolla grande, rebanada
4 dientes de ajo, pelados, finamente picados
1 chile rojo, sin semillas, finamente picado
400g de tomates enlatados, picados
175g/ 6 oz de aceitunas negras, sin hueso, en mitades
150ml de vino blanco
Sal y pimienta negra, recién molida
275g/ 10 oz de pasta farfalle
1 cucharadita de mantequilla
4 cucharadas de perejil, recién picado, más 1 cucharada para adornar

Dato culinario

Cuando cuezas pasta, recuerda hacerlo en una cacerola muy grande para que la pasta tenga espacio suficiente para moverse con libertad. Una vez que el agua hierva, agrega la pasta, revuelve, tapa y dejar que vuelva a soltar el hervor. Puedes quitar la tapa para que no se derrame el agua.

Cordero con chile

1 Recortar el filete de cordero, desechar la grasa o los nervios, cololcar en una tabla limpia y cortar en tiras delgadas. Calentar el wok y verter 2 cucharadas de aceite de cacahuate y, cuando esté caliente, sofreír la carne de 3 a 4 minutos, o hasta que se dore. Sacar las tiras de carne con sus jugos y reservar.

2 Agregar el resto del aceite al wok, sofreír la cebolla y el ajo durante 2 minutos, o hasta que estén suaves. Retirar con una cuchara coladora y añadir a la carne.

3 Diluir la maicena con 125ml/ 4 oz de agua fría, incorporar la salsa de chile, el vinagre, el azúcar y el polvo de cinco especias chino. Verter en el wok, subir la flama y dejar que la mezcla suelte el hervor. Cocinar durante 30 segundos, o hasta que espese la salsa.

4 Regresar la carne al wok con la cebolla y el ajo, revolver bien y calentar hasta que esté muy caliente. Adornar con ramitos de cilantro fresco y servir de inmediato con noodles recién cocidos y una cucharada de yogur griego.

Ingredientes   PORCIONES 4

550g/ 1¼ lb de filete de cordero
3 cucharadas de aceite de cacahuate
1 cebolla grande, finamente rebanada
2 dientes de ajo, pelados, machacados
4 cucharaditas de maicena
4 cucharadas de salsa de chile picante
2 cucharadas de vinagre de vino blanco
4 cucharaditas de azúcar morena
1 cucharadita de polvo de cinco especias chino
Ramitos de cilantro fresco, para adornar

Para acompañar:

Noodles o tallarines recién cocidos
4 cucharadas de yogur griego

Nuestra sugerencia

Es importante que uses salsa de chile embotellada en vez de Tabasco para esta receta. La salsa de chile es menos agresiva, aunque muy picante, así que primero prueba y después ajusta la cantidad al gusto.

Gratín de salami y verduras

1 Precalentar el horno a 200°C/ 400°F. Pelar y rebanar las zanahorias, recortar los ejotes y los espárragos, reservar. En una cacerola, hervir agua con un poco de sal, cocer las zanahorias durante 5 minutos. Agregar el resto de las verduras, excepto la espinaca, y cocer durante 5 minutos más, o hasta que estén tiernas. Escurrir y colocar en un platón refractario.

2 Desechar la piel externa del salami, si es necesario, y picar en trozos gruesos. En una sartén, calentar el aceite y freír el salami de 4 a 5 minutos, revolviendo ocasionalmente, hasta que se dore. Con una cuchara coladera, pasar el salami al refractario y espolvorear con la menta.

3 Agregar la mantequilla a la sartén y cocinar las espinacas de 1 a 2 minutos, o hasta que se marchiten. Incorporar la crema y sazonar bien con sal y pimienta. Servir la mezcla sobre las verduras.

4 Moler la chapata en el procesador de alimentos para hacer pan molido. Añadir el queso parmesano y espolvorear las verduras. Hornear durante 20 minutos, hasta que se dore y se caliente bien. Servir con ensalada verde.

Ingredientes   PORCIONES 4

350g/ 12 oz de zanahorias
175g/ 6 oz de ejotes
250g/ 9 oz de puntas de espárragos
175g/ 6 oz de chícharos congelados
225g/ 8 oz de salami italiano
1 cucharada de aceite de oliva
1 cucharada de menta, recién picada
25g/ 1 oz de mantequilla
150g/ 5 oz de hojas de espinaca baby
150ml de crema
Sal y pimienta negra, recién molida
1 chapata pequeña o ½ grande
75g/ 3 oz de queso parmesano, rallado
Ensalada verde

Consejo

Prepara el platillo con anticipación hasta el final del paso 3 y refrigera hasta que esté listo para hornearse, después espolvorea el pan molido, mete al horno y agrega 5 minutos al tiempo de cocción final.

Risotto de puerro y jamón

1 En una cacerola grande, calentar el aceite y la mitad de la mantequilla. Agregar la cebolla y los puerros, freír a fuego medio de 6 a 8 minutos, revolviendo ocasionalmente, hasta que estén suaves y comiencen a adquirir color. Incorporar el tomillo y cocinar brevemente.

2 Añadir el arroz y revolver bien. Seguir revolviendo a fuego medio durante 1 minuto, hasta que el arroz esté pegajoso. Añadir uno o dos cucharones de caldo y revolver hasta que se absorba el caldo. Seguir incorporando el caldo, un cucharón a la vez, y revolver bien entre una y otra adición, hasta que se hayan usado 2/3 del caldo.

3 Mientras, picar o desmenuzar finamente el jamón y agregar a la cacerola de arroz junto con los chícharos. Seguir añadiendo cucharones de caldo, como se indica en el paso 2, hasta que el arroz esté suave y el jamón se haya calentado bien.

4 Añadir el resto de la mantequilla, espolvorear con queso parmesano y sazonar al gusto con sal y pimienta. Cuando se haya fundido la mantequilla y se haya suavizado el queso, revolver para incorporar. Probar y ajustar la sazón, servir de inmediato.

Ingredientes   PORCIONES 4

1 cucharada de aceite de oliva
25g/ 1 oz de mantequilla
1 cebolla mediana, finamente picada
4 puerros, finamente rebanados
1½ cucharadas de tomillo, recién picado
350g/ 12 oz de arroz Arborio o de grano corto
1.4l ml de caldo de verduras o de pollo, caliente
225g/ 8 oz de jamón cocido
175g/ 6 oz de chícharos, descongelados en caso de estar congelados
50g/ 2 oz de queso parmesano, rallado
Sal y pimienta negra, recién molida

Nuestra sugerencia

El risotto tarda 15 minutos en cocerse, pruébalo después de este tiempo, debe estar cremoso y ligeramente suave. Si aún no está listo, sigue agregando caldo, un poco a la vez, y cocina unos minutos más. Detente en cuanto esté listo, pues no tienes que usar todo el líquido.

Salchichas de cerdo con gravy de cebolla y puré de papa

1 Fundir la mantequilla con el aceite y agregar las cebollas. Tapar y freír a fuego bajo durante 20 minutos, hasta que las cebollas se hayan separado. Agregar el azúcar y revolver bien. Destapar y continuar friendo, revolviendo con frecuencia, hasta que las cebollas estén muy suaves y doradas. Añadir el tomillo, revolver e incorporar la harina. Poco a poco, verter el Madeira y el caldo. Dejar que suelte el hervor y cocinar a fuego lento durante 10 minutos.

2 Mientras, en una sartén grande, colocar las salchichas y cocer a fuego medio de 15 a 20 minutos, volteando con frecuencia, hasta que estén doradas y ligeramente pegajosas.

3 Para el puré, hervir las papas en suficiente agua con un poco de sal de 15 a 18 minutos hasta que estén suaves. Escurrir bien y devolver a la cacerola. Calentar la cacerola a fuego lento para que las papas se sequen por completo. Retirar del fuego y añadir la mantequilla, la crème fraîche, sal y pimienta. Machacar bien. Servir el puré de papas con las salchichas encima y el gravy de cebolla.

Ingredientes   PORCIONES 4

50g/ 2 oz de mantequilla
1 cucharada de aceite de oliva
2 cebollas grandes, finamente rebanadas
1 pizca de azúcar
1 cucharada de tomillo, recién picado
1 cucharada de harina
100ml/ 3½ oz de Madeira
200ml/ 7 oz de caldo de verduras
8–12 salchichas de cerdo de buena calidad, dependiendo del tamaño

Para el puré:

900g/ 2 lb de papas harinosas, peladas
75g/ 3 oz de mantequilla
4 cucharadas de crème fraîche o crema fresca
Sal y pimienta negra, recién molida

Nuestra sugerencia

Hay una gran variedad de salchichas de cerdo para escoger, Prueba las Cambridge empaquetadas con hierbas y especias, o las Cumberland hechas con cerdo picado y pimienta negra.

Ragú de cerdo y pasta

1 En una sartén grande, calentar el aceite de girasol. Agregar el puerro rebanado y freír, revolviendo con frecuencia, durante 5 minutos o hasta que esté suave. Agregar la carne y freír, revolviendo, durante 4 minutos, o hasta que esté sellada.

2 Añadir el ajo machacado, la paprika y la pimienta de Cayena a la sartén y revolver hasta que la carne esté ligeramente cubierta con la mezcla de ajo y pimienta.

3 Verter el vino y 450ml de caldo de verduras. Añadir los frijoles pintos y las zanahorias, sazonar al gusto con sal y pimienta. Dejar que la salsa suelte el hervor, bajar la flama y cocinar a fuego lento durante 5 minutos.

4 Mientras, colocar el tagliatelle en una cacerola grande con agua hirviendo con sal, tapar y hervir a fuego lento durante 5 minutos, o hasta que la pasta esté "al dente".

5 Escurrir la pasta, agregar el ragú de cerdo y revolver bien. Ajustar la sazón y pasar a un platón tibio. Espolvorear con perejil picado y servir con un poco de crème fraîche.

Ingredientes   PORCIONES 4

1 cucharada de aceite de girasol
1 puerro, finamente rebanado
225g/ 8 oz de filete de cerdo, en cubos
1 diente de ajo, pelado, machacado
2 cucharaditas de paprika
¼ cucharadita de pimienta de Cayena
150ml de vino blanco
600ml de caldo de verdura
400g de frijoles pintos enlatados, escurridos, enjuagados
2 zanahorias, peladas, rebanadas
Sal y pimienta negra, recién molida
225g/ 8 oz de tagliatelle o tallarines de huevo fresco
1 cucharada de perejil, recién picado, para adornar
Crème fraîche o crema fresca

Nuestra sugerencia

El filete de cerdo es un corte muy delgado y suave. Requiere poco tiempo de cocción, así que es perfecto para este platillo fácil y rápido. Si prefieres, puedes sustituirlo por bisteces de pulpa o de sirloin, o pechuga de pollo sin hueso y sin piel en tiras delgadas.

Goulash de cerdo y arroz

1 Precalentar el horno a 140°C/ 275°F. Cortar la carne en pedazos grandes, cuadros de 4cm aproximadamente. En una cacerola calentar el aceite y dorar la carne en tandas a fuego alto; pasar los cubos a un plato según vaya dorándose.

2 Bajar la flama a fuego medio, agregar la cebolla y el pimiento, freír durante 5 minutos, revolviendo regularmente, hasta que empiecen a dorar. Añadir el ajo y devolver la carne a la cacerola junto con los jugos. Espolvorear la harina y la paprika, y revolver bien para cubrir con los jugos y el aceite.

3 Agregar los tomates y sazonar al gusto con sal y pimienta. Dejar que suelte el hervor poco a poco, tapar con una tapadera hermética y dejar cocinar durante 1½ horas.

4 Mientras, enjuagar el arroz varias veces hasta que el agua salga relativamente transparente. Escurrir bien y colocar en una cacerola con el caldo de pollo o agua y un poco de sal. Tapar bien y dejar que suelte el hervor. Bajar la flama lo más que se pueda y cocinar durante 10 minutos, retirar del fuego y dejar reposar durante otros 10 minutos, sin destapar. Esponjar con un tenedor.

5 Cuando la carne esté suave, incorporar la crema agria poco a poco

Ingredientes   PORCIONES 4

700g/ 1½ lb de chuletas de cerdo, sin hueso
1 cucharada de aceite de oliva
2 cebollas, en trozos grandes
1 pimiento rojo, sin semillas, finamente rebanado
1 diente de ajo, pelado, machacado
1 cucharada de harina
1 cucharada de paprika
400g de tomate en lata, picado
Sal y pimienta negra, recién molida
250g/ 9 oz de arroz blanco, de grano largo
450ml de caldo de pollo
Ramitos de perejil de hoja lisa, fresco, para adornar
150ml de crema agria, para servir

Dato culinario

La paprika es el polvo rojo del pimiento seco molido, y es un ingrediente básico del goulash, porque le da el color y sabor distintivos.

Tortitas de maíz dulce

1 En una sartén, calentar 1 cucharada del aceite de cacahuate, añadir la cebolla y freír a fuego lento de 7 a 8 minutos, o hasta que comience a suavizarse. Agregar el chile, el ajo y el cilantro molido, freír durante 1 minuto, revolviendo constantemente. Retirar del fuego.

2 Escurrir el maíz y pasar a un tazón. Con un machacador aplastar ligeramente para romper los granos un poco. Agregar la mezcla de la cebolla junto con las cebollas de cambray y el huevo batido. Sazonar al gusto con sal y pimienta y revolver para mezclar. Cernir la harina y el polvo para hornear sobre la mezcla e incorporar.

3 En una sartén grande, calentar 2 cucharadas del aceite de cacahuate. Colocar 4 o 5 cucharadas copetadas de la mezcla del maíz en la sartén, y con una espátula, aplanar cada cucharada para formar una tortita de 1cm de grosor.

4 Freír las tortitas durante 3 minutos o hasta que estén doradas por el lado inferior, voltear y freír durante 3 minutos más o hasta que estén bien cocidas y crujientes.

5 Retirar las tortitas de la sartén y escurrir en papel absorbente. Mantener calientes mientras se fríe el resto, añadir más aceite si es necesario. Adornar con los tallos de cebolla de cambray y servir de inmediato con el chutney estilo tai.

Ingredientes   PORCIONES 4

4 cucharadas de aceite de cacahuate
1 cebolla pequeña, finamente picada
1 chile rojo, sin semillas, finamente picado
1 diente de ajo, pelado, machacado
1 cucharadita de cilantro, molido
325g de maíz dulce, de lata
6 cebollas de cambray, finamente rebanadas
1 huevo mediano, ligeramente batido
Sal y pimienta negra recién molida
3 cucharadas de harina
1 cucharadita de polvo para hornear
Tallos de cebolla de cambray, para decorar
Chutney estilo tai

Nuestra sugerencia

Para hacer la decoración con tallos de cebolla de cambray, corta 10cm del tallo. Haz un corte de 3cm desde la parte superior y haz otro corte en ángulo recto del primero. Continúa haciendo cortes finos. Remoja los tallos en agua con hielo durante 20 minutos.

Tagliatelle con brócoli y ajonjolí

1 En una cacerola grande, hervir agua con sal y agregar el brócoli y los elotitos. Dejar que el agua vuelva a hervir y sacar las verduras con una cuchara coladora, reservar el agua. Sumergir las verduras en agua fría y escurrir bien. Secar con toallas de papel y reservar.

2 Volver a hervir el agua. Agregar la pasta y cocer de acuerdo a las indicaciones del paquete hasta que esté "al dente". Escurrir bien. Colocar bajo el chorro de agua hasta que se enfríe, escurrir bien de nuevo.

3 En un tazón, colocar la pasta tahini, la salsa de soya y el vinagre. Revolver bien, reservar. En una sartén grande, calentar el aceite en un wok a fuego alto y agregar el ajo, el jengibre y las hojuelas de chile, sofreír durante 30 segundos. Agregar el brócoli y los elotitos, seguir sofriendo durante 3 minutos.

4 Añadir la pasta al wok junto con la mezcla de tahini y revolver de 1 a 2 minutos más, hasta que se caliente bien. Sazonar al gusto con sal y pimienta. Espolvorear con ajonjolí, adornar con las rebanadas de rábano y servir de inmediato.

Ingredientes PORCIONES 2

225g/ 8 oz de brócoli, en ramilletes
125g 4 oz de elotitos
175g/ 6 oz de tagliatelle o tallarines secos
1½ cucharadas de pasta tahini
1 cucharada de salsa de soya oscura
1 cucharada de azúcar mascabada
1 cucharada de vinagre de vino tinto
1 cucharada de aceite de girasol
1 diente de ajo, pelado, finamente picado
1 pieza de jengibre de 2.5cm, pelado y picado
½ cucharadita de hojuelas de chile seco
Sal y pimienta negra, recién molida
1 cucharada de ajonjolí tostado
Rebanadas de rábano, para adornar

Dato culinario

La pasta tahini se hace con semillas de ajonjolí molidas y, por lo general, se encuentra en supermercados grandes y tiendas de productos orientales. Se usa con mayor frecuencia para el hummus (paté de garbanzos).

Biryani de verduras

1 Precalentar el horno a 200°C/ 400°F. En un tazón grande, verter 1 cucharada del aceite vegetal junto con las cebollas y revolver para cubrirlas. Barnizar ligeramente una charola para horno de teflón con un poco más de aceite. Esparcir la mitad de las cebollas en la charola y hornear en la parte superior del horno de 25 a 30 minutos, revolviendo regularmente, hasta que estén doradas y crujientes. Retirar del horno y reservar para adornar.

2 Mientras, calentar un recipiente a fuego medio, añadir el resto del aceite y de las cebollas. Freír de 5 a 7 minutos, hasta que se suavicen y comiencen a dorarse. Verter un poco de agua si comienzan a pegarse. Agregar el ajo y el jengibre y freír durante un minuto más antes de añadir la zanahoria, la chirivía y el camote. Cocinar las verduras durante 5 minutos más. Agregar la pasta de curry y revolver durante 1 minuto hasta que todo esté cubierto, e incorporar el arroz y los jitomates. Pasados dos minutos, verter el caldo y revolver bien. Dejar que suelte el hervor, tapar y cocinar a fuego muy lento durante 10 minutos aproximadamente.

3 Añadir la coliflor y los chícharos y cocinar de 8 a 10 minutos o hasta que el arroz esté suave. Sazonar al gusto con sal y pimienta. Servir adornado con las cebollas crujientes, las nueces de la India, las pasas y el cilantro.

Ingredientes   PORCIONES 4

2 cucharadas de aceite vegetal, más un poco para barnizar

2 cebollas grandes, finamente rebanadas a lo largo

2 dientes de ajo, pelados, finamente picados

1 pieza de 2.5cm de jengibre fresco, pelado, finamente rallado

1 zanahoria pequeña, pelada, cortada en juliana

1 chirivía pequeña, pelada, picada

1 camote pequeño, pelado, picado

1 cucharada de curry de intensidad media, en pasta

225g/ 8 oz de arroz basmati o de grano grande

4 jitomates maduros, pelados, sin semillas, picados

600ml de caldo de verduras

175g/ 6 oz de coliflor, en racimos

50g/ 2 oz de chícharos, descongelados

Sal y pimienta negra, recién molida

Para decorar:

Nueces de la India, tostadas

Pasas

Hojas de cilantro, frescas

Berenjenas al horno con tomate y mozzarella

1 Precalentar el horno a 240°C/ 475°F 15 minutos antes de hornear. Colocar las rebanadas de berenjena en un colador y espolvorear con sal. Dejar reposar durante 1 hora o hasta que los jugos estén transparentes. Enjuagar y secar con toallas de papel.

2 En una sartén grande, calentar de 3 a 5 cucharadas del aceite de oliva y freír las berenjenas preparadas por tandas durante 2 minutos de cada lado, o hasta que estén suaves. Retirar y escurrir en toallas de papel absorbente.

3 En una cacerola, calentar 1 cucharada de aceite de oliva, agregar la carne molida de pavo y freír durante 5 minutos, o hasta que se dore y se selle. Añadir la cebolla y freír durante 5 minutos, o hasta que esté suave. Incorporar el ajo picado, los tomates y las hierbas. Verter el vino y sazonar al gusto con sal y pimienta. Dejar que suelte el hervor, bajar la flama y cocinar a fuego lento durante 15 minutos, o hasta que espese.

4 Mientras, en una cacerola grande, hervir agua con un poco de sal. Agregar los macarrones y cocer de acuerdo con las indicaciones del empaque, o hasta que esté "al dente". Escurrir muy bien.

5 Servir la mezcla de jitomate en un platón refractario ligeramente engrasado. Colocar las berenjenas encima, la pasta y la albahaca picada, sazonar ligeramente. Repetir las capas, terminar con una de berenjenas. Espolvorear con el queso mozzarella y el parmesano, hornear durante 30 minutos, o hasta que dore y burbujee. Servir de inmediato.

Ingredientes   PORCIONES 4

3 berenjenas medianas, rebanadas
Sal y pimienta negra, recién molida
4-6 cucharadas de aceite de oliva
450g/ 1 lb de carne molida de pavo, fresca
1 cebolla, picada
2 dientes de ajo, pelados, picados
400g de tomates cherry, en lata, 2 latas
1 cucharada de mezcla de hierbas frescas
200ml/ 7 oz de vino tinto
350g/ 12 oz de macarrones
5 cucharadas de albahaca, recién picada
125g/ 4 oz de queso mozzarella, escurrido, picado
50g/ 2 oz de queso parmesano, recién rallado

Nuestra sugerencia

Se salan las berenjenas para quitarles lo amargo, aunque ahora son menos amargas. La sal también elimina la humedad, así absorben menos aceite cuando las fríes.

Tagliatelle a los cuatro quesos

1 En una cacerola mediana, colocar la crema batida con el ajo y calentar a fuego bajo hasta que se formen pequeñas burbujas alrededor de la cacerola. Con una cuchara coladora, sacar y desechar los dientes de ajo.

2 Agregar todos los quesos a la cacerola y revolver hasta que se derritan. Sazonar con un poco de sal y mucha pimienta negra. Conservar la salsa caliente a fuego bajo, sin que hierva.

3 Mientras, en una cacerola grande hervir agua con un poco de sal. Agregar la pasta, dejar que vuelva a soltar el hervor y cocer de 2 a 3 minutos, o hasta que esté "al dente".

4 Escurrir la pasta y devolver a la cacerola. Bañar con la salsa, agregar el cebollín y revolver ligeramente hasta que se cubra bien. Pasar a un platón caliente o a platos individuales. Adornar con unas hojas de albahaca y servir de inmediato con queso parmesano.

Ingredientes   PORCIONES 4

300ml de crema batida
4 dientes de ajo, pelados, ligeramente machacados
75g/ 3 oz de queso fontina, en cubos
75g/ 3 oz de queso gruyere, rallado
75g/ 3 oz de queso mozzarella, en cubos de preferencia
50g/ 2 oz de queso parmesano, rallado, más 1 porción adicional para servir
Sal y pimienta negra, recién molida
275g/ 10 oz de tagliatelle verde o tallarines, frescos
1-2 cucharadas de cebollín, recién picado
Hojas de albahaca fresca, para adornar

Dato culinario

El tagliatelle es originario de Bologna, donde suele servirse con salsa de carne. Por lo general, al tagliatelle verde le dan sabor con espinacas, pero también hay con hierbas frescas, que le iría particularmente bien a la fuerte salsa de queso de esta receta.

Brochetas de langostinos con salsa de jitomate

1 Para preparar la marinada, en un tazón de vidrio colocar todos los ingredientes y revolver bien. Reservar.

2 Para preparar los langostinos, quitar las cabezas y pelar, dejando las colas intactas. Con un cuchillo pequeño, hacer un corte en el lomo y sacar la vena negra delgada. Agregar los langostinos a la marinada y revolver para cubrirlos bien. Tapar y refrigerar durante 15 minutos.

3 Para preparar la salsa, en un tazón de vidrio, colocar todos los ingredientes, excepto la albahaca, y revolver. Sazonar al gusto con sal y pimienta.

4 Ensartar 4 langostinos en una brocheta de metal, doblándolos a la mitad. Repetir con 7 brochetas más. Barnizar con la marinada.

5 Barnizar la parrilla con aceite. Colocar las brochetas en la parilla y poner debajo de la parrilla precalentada a 7.5cm aproximadamente del calor, y cocinar durante 1 minuto. Voltear las brochetas, volver a barnizar y seguir cocinando de 1 a 1½ minutos, hasta que los langostinos estén rosas y opacos.

6 Trozar las hojas de albahaca y revolver con la salsa. Acomodar cada brocheta en un plato con un poco de salsa y adornar con perejil. Servir con skordalia o alioli.

Ingredientes   PORCIONES 4

32 langostinos tigre, grandes
Aceite de oliva, para barnizar
Skordalia (salsa suave a base de ajo) o alioli (salsa hecha con aceite de oliva y ajo)

Para la marinada:
120ml/ 4 oz de aceite de oliva extra virgen
2 cucharadas de jugo de limón amarillo
1 cucharadita de chile rojo, finamente picado
1 cucharadita de vinagre balsámico
Pimienta negra

Para la salsa de jitomate:
2 jitomates grandes, pelados, descorazonados, sin semillas, picados
4 cebollas de cambray, sólo los bulbos, muy finamente picadas
1 pimiento rojo, pelado, sin semillas, picado
1 pimiento naranja o amarillo, pelado, sin semillas, picado
1 cucharada de aceite de oliva extra virgen
2 cucharaditas de vinagre balsámico
4 ramitos de albahaca fresca

Pollo Suavignon y pay de champiñones con pasta filo

1 Precalentar el horno a 190°C/ 375°F. En una cacerola de base gruesa, colocar la cebolla y el puerro con 125ml/ 4 oz del caldo. Dejar que suelte el hervor, tapar y cocinar a fuego lento durante 5 minutos, destapar y seguir cocinando hasta que se haya evaporado el caldo y las verduras estén tiernas.

2 Cortar el pollo en trozos pequeños. Agregar a la cacerola con el resto del caldo, el vino y el laurel. Tapar y cocinar a fuego lento durante 5 minutos. Añadir los champiñones y cocinar a fuego lento durante 5 minutos más.

3 Disolver la harina con 3 cucharadas de agua fría. Incorporar a la cacerola y cocinar, sin dejar de revolver, hasta que haya espesado la salsa. Añadir el estragón a la salsa y sazonar con sal y pimienta.

4 Servir la mezcla en un molde para pay de 1.2 litros, desechando la hoja de laurel.

5 Barnizar ligeramente una hoja de pasta filo con un poco del aceite. Arrugar un poco la pasta, acomodar sobre el relleno. Repetir con el resto de las hojas filo y el aceite, espolvorear la parte superior del pay con ajonjolí.

6 Hornear en la parte de en medio del horno durante 20 minutos, hasta que la cubierta de la pasta filo esté dorada y crujiente. Adornar con un ramito de perejil. Servir el pay de inmediato con las verduras de estación.

Ingredientes   PORCIONES 4

1 cebolla, picada
1 puerro, picado
225ml/ 8 oz de caldo de pollo
3 pechugas de pollo de 175g/ 6 oz
150ml de vino blanco seco
1 hoja de laurel
175g/ 6 oz de champiñones botón baby
2 cucharadas de harina
1 cucharada de estragón, recién picado
Sal y pimienta negra, recién molida
Ramito de perejil fresco, para adornar
Verduras de la estación

Para la cubierta:

75g/ 3 oz (5 hojas aproximadamente) de pasta filo
1 cucharada de aceite de girasol
1 cucharadita de ajonjolí

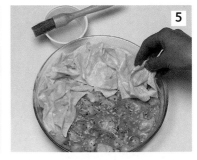

Filetes de pavo con chutney de chabacano

1 En una hoja de plástico adherente o en una hoja para hornear de teflón, colocar el filete de pavo. Cubrir con una segunda hoja. Con el rodillo, golpear ligeramente la carne hasta que se haya aplanado y tenga un grosor de 5mm. Repetir con todos los filetes.

2 Revolver la harina con sal y pimienta, y espolvorear ligeramente la carne. Colocar los filetes en una tabla para picar o en una charola para hornear, y cubrir con una hoja de plástico adherente. Enfriar en el refrigerador hasta que estén listos para cocinar.

3 Para preparar el chutney de chabacano, en una cacerola, colocar los chabacanos, la cebolla, el jengibre, el azúcar, la ralladura de naranja, el jugo de naranja y el clavo. Dejar que suelte el hervor poco a poco y cocinar a fuego bajo, destapado, durante 10 minutos, revolviendo de vez en cuando, hasta que esté espeso y tenga consistencia de miel.

4 Sacar el clavo e incorporar el perejil picado

5 En una cacerola, calentar el aceite y dorar los filetes de pavo, en dos tandas de ser necesario, de 3 a 4 minutos de cada lado, hasta que estén bien dorados y suaves.

6 Servir el chutney en cuatro platos individuales. Colocar encima un filete sobre cada porción de chutney. Adornar con ramitos de perejil y servir de inmediato con gajos de naranja.

Ingredientes PORCIONES 4

4 filetes de pavo de 175g/ 6-8 oz
1 cucharada de harina
Sal y pimienta negra, recién molida
1 cucharada de aceite de oliva
Ramitos de perejil de hoja lisa, para adornar
Gajos de naranja

Para el chutney de chabacano:

125g/ 4 oz de chabacanos secos que no es necesario remojar, picados
1 cebolla morada, finamente picada
1 cucharadita de jengibre fresco, rallado
1 cucharada de azúcar extrafina
Ralladura fina de ½ naranja
125ml/ 4 oz de jugo de naranja, fresco
125ml/ 4 oz de Oporto rubí
1 clavo entero
1 cucharada de cilantro, recién picado

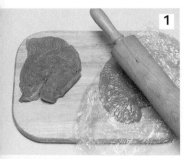

Risotto de pollo y vino blanco

1 En una cacerola de base gruesa, calentar el aceite y la mitad de la mantequilla a fuego medio. Agregar los chalotes y freír durante 2 minutos, o hasta que estén suaves, revolviendo con frecuencia. Agregar el arroz y freír de 2 a 3 minutos, revolviendo con frecuencia, hasta que el arroz esté transparente y bien cubierto.

2 Verter la mitad del vino, burbujeará y se evaporará rápido. Cocinar, revolviendo constantemente, hasta que se absorba el líquido. Agregar un cucharón de caldo caliente y cocinar hasta que se absorba el líquido. Con cuidado, incorporar el pollo.

3 Seguir añadiendo caldo, medio cucharón aproximadamente cada vez, dando tiempo a que se absorba antes de agregar más; jamás permitir que se seque el arroz. Este proceso tardará 20 minutos aproximadamente. El risotto debe tener consistencia cremosa y estar tierno, pero firme.

4 Incorporar el resto del vino y cocinar de 2 a 3 minutos. Quitar del fuego y agregar el resto de la mantequilla junto con el queso parmesano y la mitad de las hierbas picadas. Sazonar al gusto con sal y pimienta. Pasar a tazones tibios y espolvorear con el resto de las hierbas picadas. Servir de inmediato.

Ingredientes PORCIONES 4-6

2 cucharadas de aceite
125g/ 4 oz de mantequilla sin sal
2 chalotes, pelados, finamente picados
300g/ 11 oz de arroz Arborio o de grano corto
600ml de vino blanco seco
750ml de caldo de pollo, caliente
350g/ 12 oz de filetes de pechuga de pollo, sin piel, en trozos pequeños
50g/ 2 oz de queso parmesano, rallado
2 cucharadas de eneldo o perejil, recién picado
Sal y pimienta negra, recién molida

Nuestra sugerencia

Conserva el caldo que le añadirás al risotto, hirviendo a fuego bajo en una cacerola aparte para que esté muy caliente cuando se lo agregues al arroz. Eso permitirá que el platillo esté a una temperatura constante durante la cocción, lo que es muy importante para lograr la textura cremosa perfecta.

Dumplings de espinacas con salsa de tomate

1 Para preparar la salsa de jitomate, en una cacerola grande, calentar el aceite de oliva y freír la cebolla durante 5 minutos. Agregar el ajo y el chile, freír durante 5 minutos más, hasta que estén suaves.

2 Incorporar el vino, los tomates picados y la ralladura de limón. Dejar que suelte el hervor, tapar y cocinar a fuego bajo durante 20 minutos, destapar y cocinar a fuego bajo durante 15 minutos más, o hasta que haya espesado la salsa. Sacar la ralladura de limón y sazonar al gusto con sal y pimienta.

3 Para preparar los dumplings de espinaca, lavar la espinaca muy bien y retirar los tallos gruesos. En una cacerola grande, cubrir con agua las hojas y cocinar a fuego bajo. Escurrir, apretar para quitar el exceso de agua. Picar finamente y colocar en un tazón grande.

4 Agregar el queso ricotta, el pan molido, el queso parmesano y la yema de huevo a las espinacas. Sazonar con nuez moscada, sal y pimienta. Revolver y hacer 20 pelotas del tamaño de una nuez de Castilla.

5 Revolcar las pelotas en la harina. En una sartén de teflón grande calentar el aceite de oliva y freír las pelotas a fuego bajo de 5 a 6 minutos, volteando con cuidado de vez en cuando. Adornar con hojas de albahaca frescas y servir de inmediato con salsa de tomate y tagliatelle o tallarines recién cocidos.

Ingredientes PORCIONES 4

Para la salsa:
2 cucharadas de aceite de oliva
1 cebolla, picada
1 diente de ajo, pelado, machacado
1 chile rojo, sin semillas, picado
150ml de vino blanco seco
400g de tomates, picados, enlatados
1 tira de ralladura de limón amarillo

Para los dumplings:
450g/ 1 lb de espinacas frescas
50g/ 2 oz de queso ricotta
25g/ 1 oz de queso parmesano, rallado
1 yema de huevo, mediana
¼ cucharadita de nuez moscada, recién rallada
Sal y pimienta negra, recién molida
5 cucharadas de harina
2 cucharadas de aceite de oliva, para freír
Hojas de albahaca frescas, para adornar
Tagliatelle o tallarines recién cocidos

Postres fáciles

Estas recetas te permitirán preparar postres deliciosos en unos cuantos pasos. Desde una fácil Ensalada de frutas, hasta la impresionante Tarta de maracuyá y limón, nunca había sido tan sencillo impresionar a tus invitados, o simplemente consentirte.

Peras hervidas

1 En una superficie de trabajo, colocar las varas de canela y con el rodillo amasar despacio y aplastar. Colocar en una cacerola grande de base gruesa.

2 Agregar el azúcar, el vino, el agua, la ralladura y jugo de naranja a la cacerola; calentar, dejar que suelte el hervor poco a poco, revolviendo de vez en cuando, hasta que se disuelva el azúcar.

3 Mientras, pelar las peras, sin quitarles los tallos.

4 Descorazonar las peras por la parte de abajo y emparejarlas para que se paren derechas.

5 Meter las peras en la miel, tapar la cacerola y hervir a fuego bajo durante 20 minutos, o hasta que estén tiernas.

6 Retirar la cacerola del fuego y dejar enfriar las peras en la miel, volteando de vez en cuando.

7 Acomodar las peras en los platos y bañar con la miel. Decorar con las rebanadas de naranja y servir con yogur o helado bajo en grasa y el resto de los jugos.

Ingredientes   PORCIONES 4

2 varas de canela pequeñas
125g/ 4 oz de azúcar extrafina
300ml de vino tinto
150ml de agua
Jugo y ralladura delgada de 1 naranja pequeña
4 peras firmes
Rebanadas de naranja, para decorar
Yogur de vainilla congelado o helado bajo en grasa

Consejo

Las peras hervidas son deliciosas si las sirves con un poco de crème fraîche (crema fresca) semidesgrasada y las espolvoreas con almendras tostadas. Para tostar las almendras, calienta la parrilla y colócalas enteras o en hojuelas en una hoja de papel aluminio. Mete debajo de la parrilla y tuesta ligeramente de ambos lados de 1 a 2 minutos, hasta que se doren. Saca y deja enfriar, pícalas si lo deseas..

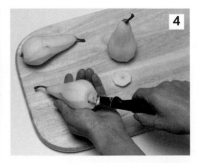

Ensalada de frutas

1 En una cacerola pequeña, colocar el azúcar y 300ml de agua, calentar ligeramente, revolviendo hasta que el azúcar se disuelva. Dejar que suelte le hervor y cocinar a fuego lento durante 2 minutos. Cuando se forme la miel, retirar del fuego y dejar enfriar.

2 Con un cuchillo filoso, pelar las naranjas y rebanar grueso. Cortar cada rebanada por la mitad, colocar en un plato junto con la miel y los lichis.

3 Pelar el mango, cortar en rebanadas gruesas alrededor del hueso. Desechar el hueso y cortar la pulpa en trozos comestibles, añadir a la miel.

4 Con un cuchillo filoso, pelar la piña. Retirar el centro con el cuchillo o un descorazonador para piña, cortarla en trozos pequeños y añadir a la miel.

5 Pelar la papaya, cortar a la mitad y quitar las semillas. Cortar la pulpa en trozos, rebanar el jengibre en juliana y añadirlo junto con la miel del jengibre a la fruta.

6 Retirar la fina piel de las grosellas y enjuagar un poco. Agregar a la miel.

7 Cortar las fresas a la mitad, añadir a la fruta junto con el extracto de almendras y refrigerar durante 30 minutos. Esparcir encima las hojas de menta y la ralladura de limón verde para decorar. Servir.

Ingredientes   PORCIONES 4

125g/ 4 oz de azúcar extrafina
3 naranjas
700g/ 1 ½ lb de lichis, pelados, sin hueso
1 mango, pequeño
1 piña, pequeña
1 papaya
4 piezas de tallo de jengibre, en almíbar
4 cucharadas de miel de jengibre
125g/ 4 oz de grosella
125g/ 4 oz de fresas, sin tallo
½ cucharadita de extracto de almendras

Para decorar:

Ralladura de limón verde
Hojas de menta

Dato culinario

Una ensalada de frutas es el final perfecto de una buena comida, pues refresca el paladar y aporta muchas vitaminas.

Pay de chocolate y malvavisco

1 Engrasar ligeramente un molde para pastel de 18cm. Colocar las galletas en una bolsa de plástico y machacar finamente con el rodillo. Otra opción es licuar en el procesador de alimentos hasta formar moronas finas.

2 En una cacerola mediana, derretir la mantequilla, agregar las galletas machacadas y revolver. Oprimir en la base del molde preparado y dejar enfriar en el refrigerador.

3 En una cacerola, fundir 125G/ 4 oz del chocolate con los malvaviscos y 2 cucharadas de agua a fuego bajo, revolviendo constantemente. Dejar enfriar un poco, agregar la yema de huevo, revolver bien y refrigerar hasta que se enfríe.

4 Batir la clara hasta que forme picos tiesos, e incorporar a la mezcla de chocolate.

5 Batir ligeramente la crema e incorporar ¾ partes a la mezcla de chocolate. Reservar el resto. Servir la crema de chocolate en el molde y refrigerar hasta que cuaje.

6 Cuando esté listo para servir, pasar el resto de la crema al pay de chocolate, acomodando con figuras decorativas. Rallar el resto del chocolate oscuro, espolvorear en la crema y servir..

Ingredientes PORCIONES 6

200g/ 7 oz de galletas tipo María
75g/ 3 oz de mantequilla, fundida
175g/ 6 oz de chocolate oscuro
20 malvaviscos
1 huevo mediano, separada la yema
  de la clara
300ml de crema agria

Consejo

Sustituye las galletas por galletas cubiertas de chocolate para darle un giro rápido a esta receta.

Rollo de fruta

1   Precalentar el horno a 220°C/ 425°F. Engrasar ligeramente y forrar un molde de rollo suizo de 33 x 23cm con papel encerado.

2   Con la batidora eléctrica, batir los huevos y el azúcar hasta que la mezcla duplique su volumen y deje marcas en la parte superior.

3   Incorporar la harina con una cuchara de metal o una espátula de plástico. Verter en el molde preparado y hornear de 10 a 12 minutos, hasta que levante bien y se dore.

4   Colocar una hoja completa de papel encerado en una superficie de trabajo plana, y espolvorear de manera uniforme con el azúcar refinada.

5   Desmoldar el pastel en el papel, desechar el papel en el que se horneó, recortar las orillas del pastel y enrollar, con el papel nuevo adentro. Reservar hasta que se enfríe.

6   Para preparar el relleno, revolver el queso quark, el yogur, el azúcar refinada, el licor (en su caso) y la ralladura de naranja. Desenrollar el rollo y untar la mezcla. Esparcir las fresas y volver a enrollar, esta vez sin el papel.

7   Decorar el rollo con las fresas. Espolvorear con azúcar glas y servir.

Ingredientes   PORCIONES 4

Para el pastel:
3 huevos medianos
75g/ 3 oz de azúcar refinada
75g/ 3 oz de harina, cernida
1-2 cucharadas de azúcar refinada, para espolvorear

Para el relleno:
125g/ 4 oz de quark (queso untable)
125g/ 4 oz de yogur griego semidesgrasado
25g/ 1 oz de azúcar refinada
1 cucharada de licor de naranja (opcional)
Ralladura de 1 naranja
125g/ 4 oz de fresas, sin rabos, cortadas en cuartos

Para decorar:
Fresas
Azúcar glas, cernida

Dato culinario
El quark es un queso no maduro con el sabor y la textura de la crema agria. Viene en las variedades bajo en grasa y sin grasa.

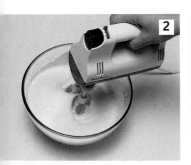

Tarta de maracuyá y granada con limón

1   Precalentar el horno a 200°C/ 400°F. En un tazón grande, cernir la harina con la sal, incorporar la mantequilla con los dedos hasta que la mezcla parezca migajas de pan. Añadir la azúcar.

2   Batir la yema de huevo e incorporar a los ingredientes secos. Mezclar bien para formar una masa tersa y manejable. Amasar ligeramente sobre una superficie con un poco de harina hasta que esté suave. Envolver la masa y dejar reposar en el refrigerador durante 30 minutos por lo menos.

3   Extender la masa sobre una superficie ligeramente enharinada y forrar un molde para pastel de 25cm. Cubrir el molde con papel encerado y colocar frijoles crudos encima. Barnizar las orillas de la masa con la clara de huevo y hornear durante 15 minutos. Retirar el papel y los frijoles y hornear durante 5 minutos más. Retirar del horno y reducir la temperatura a 180°C/ 350°F.

4   Cortar los maracuyás por la mitad, sacar la pulpa y colocarla en un tazón. Batir el azúcar con los huevos en otro tazón. Cuando estén bien mezclados, incorporar la crema con el jugo y la pulpa del maracuyá y el jugo de limón.

5   Verter la mezcla en el molde y hornear de 30 a 40 minutos o hasta que el relleno esté apenas cuajado. Retirar del horno y enfriar ligeramente, después refrigerar durante 1 hora. Cortar la granada a la mitad, sacar las semillas y ponerlas en un colador. Colocar las semillas coladas encima de la tarta, espolvorear con el azúcar glas justo antes de servir.

Ingredientes   PORCIONES 4

Para la masa:
175g/ 6 oz de harina
1 pizca de sal
125g/ 4 oz de mantequilla
4 cucharaditas de azúcar refinada
1 huevo pequeño, separado la clara
   de la yema

Para el relleno:
2 maracuyás
175g/ 6 oz de azúcar refinada
4 huevos grandes
175ml/ 6 fl oz de crema ácida
3 cucharadas de jugo de limón verde
1 granada
Azúcar glas, para espolvorear

Nuestra sugerencia
Las granadas tienen una cáscara tersa y pueden ser de color amarillo oscuro a carmín. Su distintivo sabor es ligeramente ácido.

Pay ángel de chocolate y nuez

1 Precalentar el horno a 110°C/ 225°F 5 minutos antes de hornear. Engrasar ligeramente un molde para pay de 23cm. Con la batidora eléctrica, batir las claras de huevo y el cremor tártaro a baja velocidad hasta que la mezcla esté espumosa, aumentar la velocidad y batir a punto de nieve. Poco a poco, incorporar el azúcar, 1 cucharada a la vez, hasta que esté a punto de turrón y el azúcar se haya disuelto. (Probar frotando un poco de merengue entre los dedos, si está grumoso, continuar batiendo). Este proceso tardará 15 minutos aproximadamente.

2 Incorporar 2 cucharaditas de vainilla, agregar las nueces y las chispas de chocolate. Untar el merengue de manera uniforme en el molde del pay, haciendo un hueco en el centro y levantando ligeramente las orillas. Hornear de 1 a 1½ horas, o hasta que adquiera un color crema dorado. Bajar la temperatura del horno si el merengue adquiere color muy rápido. Dejar la puerta del horno entreabierta (5cm aproximadamente) durante 1 hora. Pasar a una rejilla metálica para enfriar.

3 En una cacerola pequeña, verter la crema para batir y dejar que suelte el hervor. Retirar del fuego, agregar el chocolate blanco rallado y revolver hasta que se derrita. Añadir el resto de la vainilla y dejar enfriar; revolver hasta que espese. Servir la crema batida de chocolate blanco en la costra del pay, apilándolo hacia arriba y con ondas decorativas. Adornar con frambuesas frescas y láminas de chocolate. Enfriar en el refrigerador durante 2 horas. Cuando esté listo para servir, agregar ramitos de menta encima y cortar en rebanadas.

Ingredientes   PORCIONES
8 A 10 REBANADAS
4 claras de huevo grandes
½ cucharadita de cremor tártaro
225g/ 8 oz de azúcar glas
3 cucharaditas de vainilla
100g/ 3½ oz de nueces, ligeramente tostadas, picadas
75g/ 3 oz de chispas de chocolate oscuro
150ml de crema para batir
150g/ 5 oz de chocolate blanco, rallado

Para decorar:
Frambuesas frescas
Láminas de chocolate oscuro
Ramitos de menta fresca

Nuestra sugerencia
El merengue necesita cocinarse a temperatura baja y después dejarse enfriar en el horno para que esté crujiente y seco, sin que se rompa demasiado.

Pay de chocolate congelado Mississippi

1 Para preparar la costra, en el procesador de alimentos colocar la mantequilla derretida, el azúcar y el jengibre, licuar. Oprimir en los costados de un molde para pastel de 23cm con el dorso de una cuchara y congelar durante 30 minutos.

2 Suavizar los helados a temperatura ambiente durante 25 minutos. Servir el helado de chocolate en la costra, untar de manera homogénea en la base, luego servir el helado de café sobre el helado de chocolate, apilando ligeramente en el centro. Regresar al congelador para volver a congelar el helado.

3 Para la cubierta, en una cacerola calentar el chocolate oscuro con la crema, la melaza y la vainilla. Revolver hasta que el chocolate se haya fundido y esté suave. Verter en un tazón y enfriar en el refrigerador, revolviendo de vez en cuando, hasta que esté frío, pero no cuajado.

4 Untar la mezcla de chocolate en el pay congelado. Espolvorear con el chocolate y volver a congelar durante 1½ horas, o hasta que esté firme. Servir a temperatura ambiente.

Ingredientes
PORCIONES 6 A 8 REBANADAS

Para la costra de jengibre:
24-26 galletas de jengibre, machacadas
100g/ 3 oz de mantequilla, fundida
1-2 cucharadas de azúcar, o al gusto
½ cucharadita de jengibre, molido

Para el relleno:
600ml de helado de chocolate
600ml de helado de café

Para la cubierta de chocolate:
175g/ 6 oz de chocolate oscuro, picado
50ml/ 2 oz de crema baja en calorías
1 cucharada de melaza o jarabe de azúcar
1 cucharadita de vainilla
50g/ 2 oz de chocolate blanco y chocolate de leche, rallado grueso

Nuestra sugerencia
Para esta receta, usa helado de la mejor calidad. Busca uno que tenga ingredientes adicionales como chispas de chocolate o pedazos de caramelo.

Crumble crujiente de ruibarbo

1   Precalentar el horno a 180°C/ 350°F. En un tazón grande, colocar la harina, agregar la mantequilla e incorporar con los dedos hasta que la mezcla parezca migajas de pan, o procesar unos segundos en el procesador de alimentos.

2   Incorporar los copos de avena, el azúcar morena, las semillas de ajonjolí y la canela. Mezclar bien y reservar.

3   Para preparar el ruibarbo, retirar los extremos gruesos de los tallos y cortar diagonalmente en trozos de 2.5cm. Lavar bien y secar con un trapo limpio. Colocar el ruibarbo en un molde para pay de 1.1 litros de capacidad.

4   Espolvorear el azúcar glas sobre el ruibarbo, colocar encima la mezcla reservada del crumble. Emparejar la superficie para que la fruta esté bien cubierta y presionar firmemente. Espolvorear un poco más de azúcar glas, opcional.

5   Colocar sobre una charola para horno y hornear de 40 a 50 minutos o hasta que la fruta esté suave y la cubierta esté dorada. Espolvorear con un poco más de azúcar glas y servir caliente con la natilla o la crema batida.

Ingredientes   PORCIONES 6

125g/ 4 oz de harina
50g/ 2 oz de mantequilla, suavizada
50g/ 2 oz de avena
50g/ 2 oz de azúcar morena
1 cucharada de semillas de ajonjolí
½ cucharadita de canela, molida
450g/ 1 lb de ruibarbo, fresco
50g/ 2 oz de azúcar glas
natilla o crema batida

Consejo

Para hacer natilla casera, en una cacerola vierte 600ml de leche con unas gotas de vainilla y deja que suelte el hervor. Retira del fuego y deja que se enfríe. Mientras, bate 5 yemas de huevo y 3 cucharadas de azúcar glas en un tazón, hasta que estén espesas y de color pálido. Vierte la leche, revuelve y cuela en una cacerola de base gruesa. Cuece la natilla a fuego lento, revolviendo constantemente hasta que tome consistencia de crema para batir. Vierte sobre el crumble de ruibarbo y sirve.

Tarta enjambre de melaza

1 Precalentar el horno a 190°C/ 375°F. Para preparar la pasta, en el procesador de alimentos colocar la harina, la mantequilla y la grasa vegetal blanca. Mezclar rápido varias veces hasta que la mezcla parezca migajas de pan. Retirar del procesador de alimentos y colocar en un molde para tarta o en un recipiente grande.

2 Incorporar suficiente agua fría para preparar una masa y amasar en un tazón grande o en una superficie enharinada, hasta que esté suave y maleable.

3 Extender la masa y usar para forrar un molde de pay acanalado de 20.5cm. Reservar los recortes de la masa para decorar. Refrigerar durante 30 minutos.

4 Mientras, para preparar el relleno, en una cacerola colocar la melaza y calentar a fuego lento con la ralladura y el jugo de limón. Esparcir el pan molido en el molde y verter la mezcla de la melaza.

5 Extender los recortes en una superficie ligeramente enharinada y cortar en 6-8 tiras delgadas. Humedecer ligeramente el borde de la masa de la tarta, colocar las tiras sobre el relleno formando un dibujo de enjambre. Barnizar las puntas de las tiras con agua y sellar en el borde de la masa. Barnizar la masa con un poco de huevo batido y hornear durante 25 minutos, o hasta que el relleno apenas cuaje. Servir frío o caliente.

Ingredientes   PORCIONES 4

Para la masa:
175g/ 6 oz de harina
40g/ 1½ oz de mantequilla
40g/ 1½ oz de grasa vegetal blanca

Para el relleno:
225g/ 8 oz de melaza o jarabe de azúcar
Jugo y ralladura fina de 1 limón amarillo
75g/ 3 oz de pan molido blanco, fresco
1 huevo pequeño, batido

Consejo
¿Por qué no sustituyes el pan molido con la misma cantidad de coco seco?

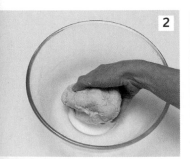

2

4

5

Pizza de chocolate con fruta

1 Precalentar el horno a 200°C/ 400°F 15 minutos antes de hornear. Engrasar ligeramente una charola para hornear grande. Para preparar la masa, en el procesador de alimentos, colocar la harina, la sal, el azúcar, la cocoa en polvo junto con la mantequilla, y mezclar brevemente. Agregar 2 yemas de huevo, 2 cucharadas de agua helada y la vainilla, mezclar hasta que se forme una masa suave. Retirar y amasar hasta que esté homogénea, envolver en plástico adherente y refrigerar durante 1 hora. Extender la masa preparada y hacer un círculo de 23cm, colocarlo en la charola para hornear y pellizcar las orillas. Con un tenedor, picar toda la base y enfriar en el refrigerador durante 30 minutos.

2 Forrar la masa con papel aluminio y colocar encima un molde refractario o un molde para pastel grande con papel aluminio y hornear hasta que las orillas adquieran color. Sacar del horno y desechar el papel aluminio y el molde. Con cuidado, untar la crema de chocolate en la base de la pizza, acomodar las rebanadas de durazno y nectarina alrededor del borde exterior unas sobre otras en forma de círculo. Revolver las bayas con el chocolate y acomodar en el centro. Bañar con la mantequilla derretida y espolvorear con el azúcar.

3 Hornear de 10 a 12 minutos, o hasta que la fruta comience a suavizar. Pasar la pizza a una rejilla metálica. Espolvorear el chocolate blanco y las avellanas, regresar al horno durante 1 minuto, o hasta que el chocolate comience a suavizar. Si la masa se oscurece mucho, cubrir las orillas con tiras de papel aluminio. Enfriar en una rejilla metálica. Decorar con menta fresca y servir caliente.

Ingredientes   PORCIONES 8

Para la masa de chocolate dulce:
150g/ 5 oz de harina
½ cucharadita de sal
3-4 cucharadas de azúcar glas
4 cucharadas de cocoa en polvo
125g/ 4 oz de mantequilla sin sal, en cubos
2 yemas de huevo medianas, batidas
½ cucharadita de vainilla

Para la cubierta:
2 cucharadas de crema de chocolate
1 durazno pequeño, muy finamente rebanado
1 nectarina pequeña, muy finamente rebanada
150g/ 5 oz de fresas, en mitades o en cuartos
75g/ 3 oz de frambuesas
75g/ 3 oz de arándanos
75g/ 3 oz de chocolate oscuro, en trozos gruesos
1 cucharada de mantequilla, derretida
2 cucharadas de azúcar
75g/ 3 oz de chocolate blanco, picado
1 cucharada de avellanas, tostadas, picadas
Ramitos de menta fresca, para decorar

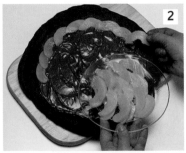

Frutas secas cocidas en dulce

1 En una cacerola pequeña, colocar las frutas, el jugo de manzana, la miel y el brandy.

2 Con un cuchillo pequeño y filoso, pelar la cáscara del limón y de la naranja y vaciar a la cacerola.

3 Exprimir el jugo del limón y de la naranja, y añadir a la cacerola.

4 Dejar que la mezcla de frutas suelte el hervor y cocinar a fuego lento durante 1 minuto. Retirar la cacerola del fuego y dejar que la mezcla se enfríe por completo.

5 Pasa la mezcla a un tazón grande, tapar con plástico adherente y refrigerar toda la noche para que los sabores se mezclen e intensifiquen.

6 Servir la fruta cocida en 4 platos para postre. Decorar con una cucharada grande de crème fraîche semidesgrasada y unas cuantas tiras de cáscara pelada de naranja, y servir.

Ingredientes   PORCIONES 4

500g/ 1 lb 2 oz de fruta seca mixta
450ml de jugo de manzana
2 cucharadas de miel
2 cucharadas de brandy
1 limón amarillo
1 naranja

Para decorar:

Crème fraîche o crema fresca
    semidesgrasada
Tiras finas de cáscara de naranja

Consejo

Como postre, este platillo es especialmente bueno si se sirve con pudín de arroz frío. Sin embargo, esta fruta cocida también es muy buena como desayuno. Simplemente vierte un poco de muesli o granola sin endulzar en el fondo de un tazón, cubre con la fruta cocida y quizá un poco de yogur natural bajo en grasa, y sirve.

Duraznos rellenos con galletas de almendra al horno

1 Precalentar el horno a 180°C/ 350°F. Cortar los duraznos a la mitad y quitar los huesos. Cortar una rebanada muy fina de la parte inferior de cada mitad para que se paren en la charola. Remojar cada mitad en el jugo de limón y acomodar en una charola para horno.

2 Machacar un poco las galletas de almendras y colocar en un tazón grande. Agregar las almendras, los piñones, el azúcar, la ralladura de limón y la mantequilla. Con los dedos, trabajar la mezcla hasta que parezca migajas grandes de pan. Incorporar la yema de huevo y revolver bien hasta que la mezcla apenas comience a unirse.

3 Repartir la mezcla de las galletas y las nueces entre las mitades de durazno, presionando ligeramente. Hornear durante 15 minutos o hasta que los duraznos estén suaves y el relleno esté dorado. Retirar del horno y bañar con la miel.

4 Colocar 2 mitades de durazno en cada plato, agregar encima una cucharada de crème fraîche o yogur griego, y servir.

Ingredientes   PORCIONES 4

4 duraznos maduros
Ralladura y jugo de 1 limón amarillo
75g/ 3 oz de galletas de almendras
50g/ 2 oz de almendras, blanqueadas, picadas, tostadas
50g/ 2 oz de piñones, tostados
40g/ 1½ oz de azúcar moscabada
50g/ 2 oz de mantequilla
1 yema de huevo, mediana
2 cucharaditas de miel
Crème fraîche o yogur griego

Consejo

Si no encuentras duraznos sustitúyelos por nectarinas. Otra alternativa es usar duraznos de lata en jugo, no en almíbar. Puedes cambiar el relleno según tus gustos personales —prueba con almendras molidas, azúcar glas, bizcochos con frutas y crema, y ralladura de limón, humedecido con jerez.

Budín de pan con chocolate y fruta

1 Precalentar el horno a 180°C/ 350°F 10 minutos antes de cocinar. Engrasar ligeramente un refractario con mantequilla. Trozar el chocolate en pedazos pequeños, colocar en un tazón refractario y meter en una cacerola con agua hirviendo a fuego lento. Calentar, revolviendo con frecuencia, hasta que se derrita el chocolate y dejar reposar 10 minutos, o hasta que el chocolate comience a espesar ligeramente.

2 Cortar el pan de fruta en rebanadas de medianas a gruesas, untar el chocolate fundido. Dejar reposar hasta que casi cuaje, cortar cada rebanada a la mitad para formar un triángulo. Acomodar las rebanadas untadas de chocolate y los chabacanos picados en el refractario engrasado con mantequilla.

3 Incorporar la crema y la leche juntas, agregar el azúcar glas. Batir los huevos y, poco a poco, añadir a la mezcla de crema y leche sin dejar de batir hasta que se incorporen bien. Con cuidado, bañar las rebanadas de pan y los chabacanos, dejar reposar durante 30 minutos.

4 Espolvorear con el azúcar morena y colocar en un refractario lleno a la mitad con agua hirviendo. Hornear durante 45 minutos, o hasta que esté dorado y la natilla esté ligeramente cuajada. Servir de inmediato.

Ingredientes PORCIONES 4

175g/ 6 oz de chocolate oscuro
1 pan de fruta, pequeño
125g/ 4 oz de chabacanos secos, picados grueso
450ml de crema baja en calorías
300ml de leche
1 cucharada de azúcar glas
3 huevos medianos
3 cucharadas de azúcar morena, para espolvorear

Nuestra sugerencia

Es importante que dejes reposar el budín cuando menos 30 minutos, como se indica en el paso 3. Esto permite que la natilla remoje el pan; de lo contrario, se cuaja alrededor de éste cuando se cuece, lo que hace que el budín parezca pesado.

Crumble de chocolate y fruta

1 Precalentar el horno a 190°C/ 375°F 10 minutos antes de hornear. Engrasar ligeramente un refractario.

2 Para preparar el crumble, en un tazón grande cernir la harina. Cortar la mantequilla en cubos y agregar a la harina. Incorporar con los dedos hasta que la mezcla parezca migajas de pan.

3 Añadir el azúcar, las hojuelas de avena y las avellanas picadas en la mezcla, y reservar.

4 Para preparar el relleno, pelar las manzanas, descorazonarlas y rebanarlas grueso. Colocar en una cacerola de base gruesa con el jugo de limón y 3 cucharadas de agua. Añadir las sultanas, las pasas y el azúcar morena. Dejar que suelte el hervor, tapar y cocinar a fuego lento de 8 a 10 minutos, revolviendo de vez en cuando, o hasta que las manzanas estén ligeramente suaves.

5 Retirar la cacerola del fuego y dejar enfriar un poco antes de incorporar las peras, la canela molida y el chocolate picado.

6 Servir en el refractario preparado. Espolvorear el crumble de manera uniforme, hornear de 35 a 40 minutos, o hasta que la cubierta esté dorada. Retirar del horno, espolvorear con el azúcar glas, servir de inmediato.

Ingredientes PORCIONES 4

125g/ 4 oz de harina
125g/ 4 oz de mantequilla
75g/ 3 oz de azúcar morena
50g/ 2 oz de hojuelas de avena
50g/ 2 oz de avellanas, picadas

Para el relleno:

450g/ 2 lb de manzanas Bramley
1 cucharada de jugo de limón amarillo
50g/ 2 oz de pasas sultanas
50g/ 2 oz de pasas sin semillas
50g/ 2 oz de azúcar morena
350g/ 12 oz de peras, peladas, descorazonadas, picadas
1 cucharadita de canela molida
125g/ 4 oz de chocolate oscuro, en trozos grandes
2 cucharaditas de azúcar glas, para espolvorear

Consejo

Las manzanas Bramley son ideales para cocinar y se hacen puré con mucha facilidad. Si prefieres, usa postre de manzana, pero reduce la cantidad de azúcar.

Budín Osborne

1 Precalentar el horno a 170°C/ 325°F. Engrasar ligeramente un refractario de 1.1 litros.

2 Quitar las cortezas del pan y untar ligeramente la mantequilla y la mermelada. Cortar el pan en triángulos pequeños.

3 Colocar la mitad del pan en la base del refractario y esparcir la fruta seca mixta, 1 cucharada de jugo de naranja y la mitad del azúcar glas. Cubrir con el resto del pan y la mermelada, con el lado de la mantequilla hacia arriba; bañar con el resto del jugo de naranja. Espolvorear con el resto del azúcar glas.

4 Batir los huevos con la leche y la crema, verter sobre el budín. Reservar durante 30 minutos para que el pan absorba el líquido. Colocar en otro refractario y verter suficiente agua caliente hasta la mitad de los costados del molde. Hornear de 50 a 60 minutos, o hasta que el budín cuaje y la cubierta esté dorada y crujiente.

5 Mientras, preparar la salsa de mermelada. Calentar la ralladura y el jugo de naranja con la mermelada y el brandy, en su caso. Disolver la maicena en 1 cucharada de agua y revolver bien. Añadir a la cacerola y cocinar a fuego bajo, revolver hasta que se caliente bien y espese. Servir el pudín caliente con la salsa de mermelada.

Ingredientes PORCIONES 4

8 rebanadas de pan blanco
50g/ 2 oz de mantequilla
2 cucharadas de mermelada de naranja
50g/ 2 oz de mezcla de fruta seca
2 cucharadas de jugo de naranja, fresco
40g/ 1½ oz de azúcar glas
2 huevos grandes
450ml de leche
150ml de crema para batir

Para la salsa de mermelada:

Jugo y ralladura de 1 naranja
1 cucharada de mermelada de naranja
1 cucharada de brandy (opcional)
2 cucharaditas de maicena

Consejo

Para preparar la salsa de naranja, olvida la mermelada y agrega el jugo de otras 3 naranjas y unas gotas de jugo de limón amarillo para preparar 250ml/ 9 oz. Sigue la receta, pero aumenta la cantidad de maicena a 1½ cucharadas.

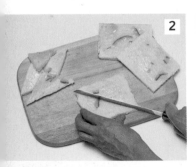

Pay de moka

1 Colocar la costra de masa preparada en un platón grande y reservar. En un tazón refractario, fundir el chocolate en una cacerola con agua hirviendo. Asegurarse de que el agua no toque la base del tazón. Retirar del fuego, revolver hasta que esté homogéneo y dejar enfriar.

2 Acremar la mantequilla, el azúcar morena y la vainilla hasta que estén ligeras y esponjosas, batir con el chocolate frío. Agregar el café negro, verter en la costra de masa y enfriar en el refrigerador durante 30 minutos.

3 Para preparar la cubierta, batir la crema hasta que comience a espesar, agregar el azúcar y la vainilla sin dejar de batir, hasta que la crema esté a punto de nieve. Servir la mitad de la crema en otro tazón y añadir el café disuelto.

4 Untar el resto de la crema en el relleno de la masa. Servir la crema batida sabor café de manera uniforme encima, y dar forma decorativa con una espátula. Espolvorear con el chocolate rallado y enfriar en el refrigerador hasta que esté listo para servir.

Ingredientes PORCIONES 4-6

1 costra de masa dulce preparada de 23cm

Para el relleno:
125g/ 4 oz de chocolate oscuro, en trozos
175g/ 6 oz de mantequilla sin sal
225g/ 8 oz de azúcar morena
1 cucharadita de vainilla
3 cucharadas de café negro fuerte

Para la cubierta:
600ml de crema para batir
50g/ 2 oz de azúcar glas
2 cucharaditas de vainilla
1 cucharada de café instantáneo, disuelto en 1 cucharadita de agua hirviendo, frío
Chocolate de leche blanco, rallado, para decorar

Nuestra sugerencia
Usar una costra de masa ya preparada hace que este pay rápido luzca muy impresionante.

Mousse de chocolate blanco y especias

1 Golpear ligeramente el cardamomo para abrirlo. Sacar las semillas, machacar ligeramente en el molcajete. En una cacerola pequeña, verter la leche y agregar las semillas machacadas y las hojas de laurel. Calentar y dejar que suelte el hervor a fuego medio. Retirar del fuego, tapar y dejar reposar en un lugar tibio cuando menos durante 30 minutos.

2 Romper el chocolate en trozos pequeños y colocar en un tazón refractario, dentro de una cacerola con agua hirviendo. Asegurarse de que el agua no toque la base del tazón. Cuando se haya derretido el chocolate, retirar el tazón del fuego y revolver hasta que esté suave.

3 Batir la crema hasta que espese ligeramente y conserve su forma, pero sin que forme picos. Reservar. Batir las claras de huevo en un tazón limpio, sin grasa, a punto de nieve.

4 Pasar la leche por un colador sobre el chocolate fundido, frío, y batir hasta que esté suave. Servir la mezcla de chocolate en las claras de huevo, y con una cuchara de metal grande, incorporar poco a poco. Agregar también la crema batida.

5 Servir en un platón grande o en tazas individuales pequeñas. Enfriar en el refrigerador de 3 a 4 horas. Justo antes de servir, espolvorear con un poco de cocoa en polvo cernida

Ingredientes PORCIONES 4-6

5 varas de cardamomo
125ml/ 4 oz de leche
3 hojas de laurel
200g/ 7 oz de chocolate blanco
300ml de crema para batir
3 claras de huevo, medianas
1-2 cucharaditas de cocoa en polvo, cernida, para espolvorear

Consejo

El chocolate y las especias combinan muy bien, como lo demuestra esta receta. El chocolate blanco tiene gran afinidad con especias como el cardamomo, mientras que el oscuro y el de leche van muy bien con la canela.

Entradas

Ahora que ya dominas los básicos, prueba con estos platillos sencillos, pero sofisticados que sorprenderán a tus invitados. La variedad de recetas te ayudará en toda ocasión para darle a tus invitados lo que necesiten, desde bocadillos, platillos de pescado, carne y vegetarianos.

Canapés mixtos

1 Para los canapés de queso, cortar las cortezas del pan, aplanar ligeramente con un rodillo. Untar la mantequilla sobre las rebanadas y espolvorear encima los quesos mezclados lo más uniforme posible.

2 Enrollar ajustadamente cada rebanada y cortar en cuatro rebanadas, cada una de 2.5cm de largo. En un wok o una sartén grande, calentar el aceite y sofreír los rollos de queso en dos tandas, volteándolos constantemente hasta que estén dorados y crujientes. Escurrir en toallas de papel absorbente y servir calientes o fríos.

3 Para las nueces picantes, en un wok derretir la mantequilla junto con el aceite, agregar las nueces y sofreír a fuego lento durante 5 minutos, revolviendo constantemente, o hasta que comiencen a tomar color.

4 Espolvorear la paprika y el comino sobre las nueces y sofreír de 1 a 2 minutos más o hasta que las nueces estén doradas.

5 Retirar del wok y escurrir en toallas de papel absorbente. Espolvorear con la sal, decorar con las ramitas de cilantro fresco y servir calientes o frías. Si se sirven fríos, guardar los canapés y las nueces en recipientes herméticos.

Ingredientes PORCIONES 12

Para los canapés de queso:
6 rebanadas de pan blanco, gruesas
40g/ 1½ oz de mantequilla, suavizada
75g/ 3 oz de queso cheddar maduro, rallado
75g/ 3 oz de queso azul, como stilton o gorgonzola, desmenuzado
3 cucharadas de aceite de girasol

Para las nueces picantes:
25g/ 1 oz de mantequilla sin sal
2 cucharadas de aceite de oliva
450g/ 1 lb de nueces mixtas, sin sal
1 cucharadita de paprika, molida
½ cucharadita de comino, molido
½ cucharadita de sal de mar, fina
Ramitas de cilantro fresco, para adornar

Consejo

Estos canapés son excelentes para servir en un *bufé* o un almuerzo o, si reduces las cantidades a la mitad, puedes servirlos con bebidas en una cena informal para 4 a 6 personas.

Tortitas de papa con salmón ahumado

1 En una cacerola con agua hirviendo con un poco de sal, cocer las papas de 15 a 20 minutos o hasta que estén suaves. Escurrir bien, machacar hasta que no queden grumos. Incorporar el huevo entero y la yema junto con la mantequilla. Revolver hasta que la mezcla esté suave y cremosa. Agregar poco a poco la harina y la crema, sazonar al gusto con sal y pimienta. Añadir el perejil picado.

2 En un tazón pequeño, revolver la crème fraîche y la salsa de rábano picante, cubrir con plástico adherente y reservar.

3 Calentar una sartén de base gruesa ligeramente engrasada a fuego medio. Colocar unas cuantas cucharadas de la mezcla de la papa en la sartén caliente y freír de 4 a 5 minutos, o hasta que estén cocidas y doradas, voltear a la mitad del tiempo de cocción. Retirar de la sartén, escurrir sobre toallas de papel absorbente y mantener calientes. Repetir con el resto de la mezcla.

4 Acomodar las tortitas en platos individuales. Colocar el salmón ahumado sobre las tortitas y poner encima un poco de salsa de rábano. Servir con ensalada y el resto de la salsa de rábano, adornar con rebanadas de limón y cebollín.

Ingredientes PORCIONES 4

450g/ 1 lb de papas harinosas, peladas, cortadas en cuartos
Sal y pimienta negra, recién molida
1 huevo grande
1 yema de huevo grande
25g/ 1 oz de mantequilla
25g/ 1 oz de harina
150ml de crema para batir
2 cucharadas de perejil, recién picado
5 cucharadas de crème fraîche o crema fresca
1 cucharada de salsa de rábano picante
225g/ 8 oz de salmón ahumado, rebanado
Hojas de ensalada

Para decorar:
Rebanadas de limón amarillo
Cebollín picado

Consejo
El rábano picante es una raíz acre, por lo general se ralla y se revuelve con aceite y vinagre, o con crema, para hacer la salsa de rábano picante. Las salsas comerciales varían en intensidad, así que es mejor añadir un poco a la vez y probarla hasta obtener el sabor que deseas.

Tortitas Bombay de atún

1 Engrasar ligeramente una sartén de teflón con 2 cucharadas del aceite, freír ligeramente el atún de 2 a 3 minutos por lado o hasta que apenas esté cocido. Retirar y dejar enfriar lo suficiente para manipularlo. Picar grueso y colocar en un tazón.

2 En una cacerola con agua hirviendo cocer las papas de 12 a 15 minutos o hasta que estén suaves. Colar y machacar hasta obtener una consistencia con trozos, no tersa.

3 Agregar al atún junto con la cúrcuma y mezclar ligeramente. En la sartén calentar el resto del aceite, añadir las semillas y freír durante 30 segundos, o hasta que revienten. Agregar el resto de las especias y continuar la cocción durante 2 minutos, revolviendo constantemente. Retirar e incorporar a la mezcla del atún, mezclar bien.

4 Con las manos húmedas formar con la mezcla del atún de 8 a 12 tortitas pequeñas y colocarlas en un plato. Diluir la maicena en el agua para formar una pasta. Poner el pan molido en un plato.

5 Calentar suficiente aceite para freír en una cacerola profunda o en un wok a 180°C/ 350°F. Sumergir las tortitas de atún en la maicena y revolcar en el pan molido. Freír en tandas de 2 a 3 minutos o hasta que estén doradas y crujientes. Escurrir sobre papel absorbente. Repetir hasta freír todas las tortitas. Servir con ensalada, chutney de jitomate y/o salsa raita.

Ingredientes PORCIONES 4 A 6

2 cucharadas de aceite vegetal, más extra para freír
300g/ 10 oz de filetes de atún, fresco
225g/ 8 oz de papas, peladas, cortadas en trozos pequeños
½ cucharadita de cúrcuma
1 cucharadita de semillas de comino
1 cucharadita de semillas de fenogreco
1 cucharadita de cilantro, molido
1 cucharadita de garam masala (mezcla de especias de la cocina hindú)
Hojas de curry
1 cucharadita de puré de jengibre
½–1 cucharadita de chile en polvo, o al gusto
75g/ 3 oz de maicena
50–85ml/ 2–3 fl oz de agua
75g/ 3 oz de pan molido, seco

Para acompañar:

Chutney de jitomate, salsa raita o ensalada fresca

Nuestra sugerencia

El pan molido fresco es mejor que el comprado. Coloca el pan molido en el horno caliente hasta que se separe.

Tostadas de langostinos con ajonjolí

1 En el procesador de alimentos o en la licuadora, colocar los langostinos junto con la maicena, las cebollas de cambray, el jengibre, la salsa de soya y el polvo de cinco especias, en su caso. Licuar hasta formar una pasta suave. Pasar a un tazón e incorporar el huevo batido. Sazonar al gusto con sal y pimienta.

2 Quitar la corteza del pan. Untar uniformemente la pasta de langostinos en un lado de cada rebanada. Espolvorear las semillas de ajonjolí y presionar un poco.

3 Cortar cada rebanada diagonalmente para obtener 4 triángulos. Colocar sobre una tabla y refrigerar durante 30 minutos.

4 En una sartén de base gruesa o en una freidora, verter suficiente aceite para llenar un tercio. Calentar a 180°C/ 350°F. Freír las tostadas, en tandas de 5 o 6, sumergir cuidadosamente en el aceite con el ajonjolí hacia abajo. Freír de 2 a 3 minutos o hasta que estén ligeramente doradas, voltear y freír durante 1 minuto más. Con una cuchara coladora, sacar las tostadas y escurrir sobre toallas de papel absorbente. Mantener calientes mientras se fríe el resto. Acomodar en un platón caliente y servir de inmediato con salsa de chile como dip.

Ingredientes PORCIONES 4

125g/ 4 oz de langostinos, cocidos, pelados
1 cucharada de maicena
2 cebollas de cambray, picadas grueso
2 cucharaditas de raíz de jengibre, recién rallada
2 cucharaditas de salsa de soya oscura
1 pizca de polvo de cinco especias chinas (opcional)
1 huevo pequeño, batido
Sal y pimienta negra, recién molida
6 rebanadas delgadas de pan blanco, del día anterior
40g/ 1½ oz de semillas de ajonjolí
Aceite vegetal, para freír
Salsa de chile

Nuestra sugerencia

Las tostadas pueden prepararse hasta el final del paso 3 hasta con 12 horas de antelación. Las cubres y las refrigeras hasta que vayas a usarlas. Es importante que el pan sea de uno o dos días anteriores y no fresco. Asegúrate de que los langostinos estén bien escurridos antes de hacerlos puré, sécalos con toallas de papel absorbente si es necesario.

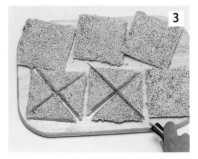

Ensalada de verduras cocidas con salsa satay

1 Calentar aceite en un wok, añadir los cacahuates y sofreír de 3 a 4 minutos. Escurrir en toallas de papel absorbente y dejar enfriar. Moler en el procesador de alimentos hasta convertir en un polvo fino.

2 En el procesador de alimentos, colocar la cebolla y el ajo junto con las especias, el azúcar, la salsa de soya, el jugo de limón y el aceite de oliva. Sazonar al gusto con sal y pimienta, procesar hasta formar una pasta. Transferir al wok y sofreír de 3 a 4 minutos.

3 Verter 600ml de agua en la pasta y dejar que suelte el hervor. Agregar los cacahuates molidos y cocinar a fuego lento de 5 a 6 minutos, o hasta que espese la mezcla. Reservar la salsa satay.

4 Cocer las verduras por tandas en agua hirviendo con un poco de sal: ejotes, zanahorias, coliflor y brócoli de 3 a 4 minutos, y las hojas chinas o pak choi y el germen de soya durante 2 minutos. Escurrir cada tanda, bañar en el aceite de ajonjolí y acomodar en un platón grande caliente. Adornar con ramitos de berros y pepinos. Servir con la salsa satay.

Ingredientes   PORCIONES 4

125ml/ 4 oz de aceite de cacahuate
225g/ 8 oz de cacahuates sin sal
1 cebolla, finamente picada
1 diente de ajo, pelado, machacado
½ cucharadita de chile en polvo
1 cucharada de cilantro, molido
½ cucharadita de comino, molido
½ cucharadita de azúcar
1 cucharada de salsa de soya oscura
1 cucharada de jugo de limón
   amarillo, fresco
1 cucharadas de aceite de oliva
Sal y pimienta negra, recién molida
125g/ 4 oz de ejotes, en mitades
125g/ 4 oz de zanahorias cortadas
   en juliana
125g/ 4 oz de coliflor, en ramilletes
125g/ 4 oz de brócoli, en ramilletes
125g/ 4 oz de hojas chinas o pak
   choi, picadas (similar a la acelga)
125g/ 4 oz de germen de soya
1 cucharada de aceite de ajonjolí

Para adornar:

Ramitos de berros, frescos
Pepino, en láminas

Paté de champiñones y vino tinto

1 Precalentar el horno a 180°C/ 350°F. Cortar el pan a la mitad en diagonal. Colocar los triángulos de pan en una charola para horno, hornear durante 10 minutos.

2 Retirar del horno y separar cada triángulo a la mitad para hacer 12 triángulos, regresar al horno hasta que se doren y estén crujientes. Dejar enfriar en una rejilla metálica.

3 En una cacerola, calentar el aceite y freír la cebolla y el ajo hasta que estén transparentes.

4 Agregar los champiñones y freír, revolviendo, de 3 a 4 minutos, o hasta que los champiñones empiecen a soltar su jugo.

5 Incorporar el vino y las hierbas a la mezcla de champiñones, dejar que suelte el hervor. Bajar la flama, cocinar a fuego lento, destapado, hasta que se absorban todos los líquidos.

6 Retirar del fuego, sazonar al gusto con sal y pimienta. Dejar enfriar.

7 Cuando esté frío, incorporar el queso crema suave y ajustar la sazón. Colocar en un tazón pequeño, limpio, y refrigerar hasta que se requiera. Servir en los triángulos tostados con el pepino y el jitomate.

Ingredientes   PORCIONES 4

3 rebanadas grandes de pan blanco, sin corteza
1 cucharadita de aceite
1 cebolla pequeña, finamente picada
1 diente de ajo, pelado, machacado
350g/ 12 oz de champiñones botón, limpios, finamente picados
150ml de vino tinto
½ cucharadita de mezcla de hierbas secas
1 cucharada de perejil, recién picado
Sal y pimienta negra, recién molida
2 cucharadas de queso crema, bajo en grasa

Para acompañar:

Pepino, finamente picado
Jitomate, finamente picado

Consejo

Este paté también es delicioso si lo sirves como cubierta de brochetas. Tuesta rebanadas de chapata, sirve encima el paté generosamente y adorna con un poco de rúcula.

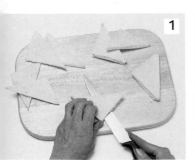

Risotto con habas y alcachofas

1 En una cacerola con agua hirviendo con un poco de sal cocer las habas de 4 a 5 minutos o hasta que apenas estén suaves. Colar y sumergir en agua fría; quitar la cáscara (opcional). Secar las alcachofas con papel absorbente y cortar cada una en mitades a lo largo. Cortar cada mitad en tres gajos.

2 En una cacerola grande calentar el aceite y freír las alcachofas de 4 a 5 minutos, volteando ocasionalmente, hasta que estén ligeramente doradas. Retirar de la cacerola y reservar. En otra cacerola verter el vino y el caldo, dejar que suelte el hervor. Mantener hirviendo a fuego muy lento mientras se prepara el risotto.

3 En una sartén grande derretir la mantequilla, añadir la cebolla y freír durante 5 minutos o hasta que comience a suavizarse. Agregar el arroz y freír durante 1 minuto, revolviendo. Verter una cucharada de la mezcla caliente del vino y el caldo y cocinar a fuego lento, revolviendo, hasta que el líquido se absorba. Continuar añadiendo el caldo de 20 a 25 minutos, hasta que el arroz esté apenas suave; la apariencia del risotto debe ser cremosa.

4 Añadir las habas, las alcachofas, la ralladura y el jugo de limón. Mezclar ligeramente, tapar y dejar que se caliente bien de 1 a 2 minutos. Incorporar el queso parmesano y sazonar al gusto con sal y pimienta. Espolvorear el queso parmesano extra al servir.

Ingredientes PORCIONES 4

275g/ 10 oz de habas, congeladas
400g de corazones de alcachofa, colados
1 cucharada de aceite de girasol
150ml de vino blanco seco
900ml de caldo de verduras
25g/ 1 oz de mantequilla
1 cebolla, finamente picada
200g/ 7 oz de arroz Arborio o de grano corto
Jugo y ralladura fina de 1 limón amarillo
50g/ 2 oz de queso parmesano, rallado
Sal y pimienta negra, recién molida
Queso parmesano, recién rallado, para servir

Brochetas de pescado a la parrilla

1 Si se usan brochetas de madera, remojar en agua fría durante 30 minutos para evitar que se quemen durante la cocción.

2 Mientras, preparar la salsa. En una cacerola pequeña, colocar el caldo, la salsa catsup, la salsa inglesa, el vinagre, el azúcar, la salsa Tabasco y el puré de tomate. Revolver bien y dejar cocinar a fuego lento durante 5 minutos.

3 Forrar la rejilla de la parrilla con una hoja de papel aluminio y precalentar a temperatura alta 2 minutos antes de usarla.

4 Justo antes de cocinar, escurrir las brochetas, de ser necesario, y encajar alternadamente los trozos de pescado, las cebollas en cuartos y los tomates cherry.

5 Sazonar las brochetas al gusto con sal y pimienta, barnizar con la salsa. Asar bajo la parrilla precalentada de 8 a 10 minutos, bañando ocasionalmente con la marinada durante la cocción. Voltear las brochetas con frecuencia para que se cuezan bien y de manera uniforme. Servir de inmediato con cuscús.

Ingredientes PORCIONES 4

450g/ 1 lb de filetes de arenque o
    caballa, cortados en trozos
2 cebollas moradas pequeñas,
    peladas, cortadas en cuartos
16 tomates cherry
Sal y pimienta negra, recién molida

Para la salsa:

150ml de caldo de pescado
5 cucharadas de salsa catsup
2 cucharadas de salsa inglesa
2 cucharadas de vinagre de vino
2 cucharadas de azúcar morena
2 gotas de salsa Tabasco
2 cucharadas de puré de tomate

Consejo

En lugar de cocinar dentro de la casa, asa las brochetas en la parrilla para darles un delicioso sabor a carbón. Engrasa la parrilla cuando menos 20 minutos antes de usarla para que el carbón se caliente bien. Asa algunos pimientos y cebollas moradas, y sirve con una ensalada mixta como acompañamiento de las brochetas de pescado.

2

4

5

Tarta de pescado

1 Precalentar el horno a 220°C/ 425°F. Sobre una superficie ligeramente enharinada, extender la pasta hasta obtener un rectángulo de 20.5 x 25.5cm.

2 Marcar un rectángulo de 18 x 23cm en el centro de la pasta, y dejar un borde de 2.5cm. (Con cuidado de cortar la pasta)

3 Con un cuchillo, hacer cortes poco profundos en forma de diamante en el borde de la pasta.

4 En una tabla para picar, colocar el pescado, con un cuchillo filoso quitar la piel del eglefino ahumado y del bacalao. Cortar en rebanadas.

5 De manera uniforme untar el pesto con el dorso de una cuchara en la base de pasta.

6 Acomodar el pescado, los jitomates y el queso en la base de pasta, barnizar la pasta con el huevo batido.

7 Hornear la tarta en el horno precalentado de 20 a 25 minutos, hasta que la pasta haya subido, esté esponjosa y dorada. Decorar con el perejil picado y servir de inmediato.

Ingredientes   PORCIONES 4

350g/ 12 oz de pasta hojaldrada preparada, descongelada
150g/ 5 oz de eglefino ahumado
150g/ 5 oz de bacalao
1 cucharada de pesto
2 jitomates, rebanados
125g/ 4 oz de queso de cabra, rebanado
1 huevo mediano, batido
Perejil recién picado, para decorar

Dato culinario

El nombre escocés del eglefino ahumado es finnan haddie (eglefino finnan), en honor del pueblo pesquero escocés Findon, cerca de Aberdeen. El eglefino ahumado es el desayuno favorito en Findon y el resto de Escocia desde hace muchos años. Aunque tradicionalmente se pescaba y ahumaba (muchas veces sobre fuego encendido con turba), hoy se produce en Nueva Inglaterra y otros estados de la costa oriental de Estados Unidos.

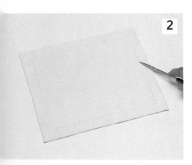

2

4

6

Pollo rostizado al azafrán con cebollas crujientes

1 Precalentar el horno a 200°C/ 400°F. Con las yemas de los dedos, aflojar la piel de la pechuga del pollo, deslizando la mano entre la piel y la carne. Acremar 50g/ 2 oz de la mantequilla con el azafrán, la ralladura de limón y la mitad del perejil, hasta que esté suave. Poner la mantequilla debajo de la piel. Con los dedos, untar en la pechuga, en los muslos. Jalar la piel del cuello para apretar la piel de la pechuga y meter debajo del pollo, cerrar con una brocheta o con un palillo.

2 En una sartén de base gruesa, calentar el aceite de oliva y el resto de la mantequilla, freír las cebollas y los dientes de ajo durante 5 minutos, o hasta que las cebollas estén suaves. Agregar las semillas de comino, la canela, los piñones y las pasas, cocinar durante 2 minutos. Sazonar al gusto con sal y pimienta y colocar en la rosticera.

3 Acomodar el pollo, con la pechuga hacia abajo, en la base de las cebollas, rostizar en el horno precalentado durante 45 minutos. Reducir la temperatura del horno a 170°C/ 325°F. Voltear el pollo, con la pechuga hacia arriba, y revolver las cebollas. Continuar rostizando hasta que el pollo esté bien dorado y las cebollas crujientes. Dejar reposar durante 10 minutos, espolvorear con el resto del perejil. Antes de servir, adornar con un ramito de perejil y servir de inmediato con las cebollas y ajo.

Ingredientes PORCIONES 4-6

1 pollo de 1.6kg/ 3½ lb para hornear, de preferencia de granja
75g/ 3 oz de mantequilla, suavizada
1 cucharadita de azafrán, ligeramente tostado
Ralladura de 1 limón amarillo
2 cucharadas de perejil de hoja lisa, recién picado
2 cucharadas de aceite de oliva extra virgen
450g/ 1 lb de cebollas, cortadas en tiras delgadas
8-12 dientes de ajo, pelados
1 cucharadita de semillas de comino
½ cucharadita de canela molida
50g/ 2 oz de piñones
50g/ 2 oz de pasas sultanas
Sal y pimienta negra, recién molida
Ramito de perejil de hoja lisa, fresco, para adornar

Nuestra sugerencia

El pollo se rostiza primero con la pechuga hacia abajo para que la carne blanca no se seque, y el voltearlo a la mitad de la cocción hará que la piel se dore y esté crujiente.

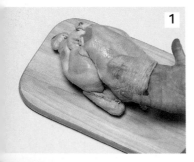

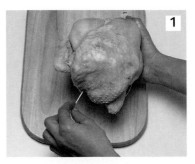

Pollo y papitas cambray en brochetas de romero

1 Precalentar la parrilla y forrar la rejilla con papel aluminio justo antes de cocinar. Quitar las hojas de romero de los tallos, dejar 5cm de hojas suaves en la parte superior. Picar las hojas y reservar. Con un cuchillo filoso, cortar los extremos gruesos de los tallos y darles forma de punta para perforar el pollo y las papas. En un platón, mezclar el romero picado, el aceite, el ajo, el tomillo, la ralladura y el jugo de limón. Sazonar al gusto con sal y pimienta.

2 Cortar el pollo en pedazos medianos de 4cm, agregar al aceite sazonado y revolver bien. Tapar, refrigerar cuando menos durante 30 minutos, volteando de vez en cuando.

3 Cocer las papitas cambray en agua hirviendo con un poco de sal de 10 a 12 minutos hasta que apenas estén suaves. Añadir las cebollas a las papitas 2 minutos antes de terminar el tiempo de cocción. Escurrir, enjuagar bajo el chorro de agua fría y dejar enfriar. Cortar el pimiento en cubos de 2.5cm.

4 Empezar encajando un trozo de pollo por el extremo puntiagudo de la brocheta y alternar con la misma cantidad de pollo, papitas, pimientos y cebolla en cada brocheta de romero. Cubrir los extremos de las hojas con papel aluminio para evitar que se quemen. No encajar el pollo y las verduras muy juntos, de lo contrario el pollo podría no cocerse bien. Cocinar las brochetas durante 15 minutos o hasta que estén suaves y doradas, volteando y barnizando con el aceite extra o la marinada. Retirar el papel aluminio, adornar con gajos de limón y servir con cuscús.

Ingredientes   PORCIONES 4

8 tallos gruesos de romero, de 23cm de largo (mínimo)
3–4 cucharadas de aceite de oliva extra virgen
2 dientes de ajo, pelados, machacados
1 cucharadita de tomillo, recién picado
Ralladura y jugo de 1 limón amarillo
Sal y pimienta negra, recién molida
4 filetes de pechuga de pollo, sin piel
16 papitas cambray, peladas o lavadas
8 cebollas o chalotes, muy pequeños, pelados
1 pimiento amarillo o rojo, grande, sin semillas
Gajos de limón amarillo, para decorar
Cuscús con perejil

Consejo

Si usas la parrilla de la barbacoa, engrásala cuando menos 20 minutos antes de usarla.

Arroz con pollo agridulce

1 Recortar las cebollas de cambray, cortar a lo largo en tiras finas. Colocar en un tazón grande de agua helada y reservar.

2 Revolver el aceite de ajonjolí y el polvo de cinco especias, frotar los pedazos de pollo. Calentar el wok, agregar el aceite y, cuando esté caliente, freír el ajo y la cebolla de 2 a 3 minutos, o hasta que estén suaves y transparentes.

3 Agregar el pollo y sofreír a fuego medio-alto hasta que se dore el pollo y se cueza bien. Con una cuchara coladora, sacar del wok y conservar caliente.

4 Añadir el arroz al wok y agregar el agua, la salsa catsup, el puré de tomate, la miel, el vinagre y la salsa de soya. Revolver muy bien. Dejar que suelte el hervor, cocinar a fuego bajo hasta que se haya absorbido casi todo el líquido. Añadir la zanahoria y el pollo que se reservó, seguir cocinando de 3 a 4 minutos.

5 Escurrir las cebollas de cambray, que ya se habrán enroscado. Adornar el arroz y el pollo con ellas y servir de inmediato.

Ingredientes PORCIONES 4

4 cebollas de cambray
2 cucharaditas de aceite de ajonjolí
1 cucharadita de polvo de cinco especias chino
450g/ 1 lb de pechuga de pollo, cortada en pedazos chicos
1 cucharada de aceite
1 diente de ajo, pelado, machacado
1 cebolla mediana, rebanada en tiras delgadas
225g/ 8 oz de arroz blanco de grano largo
600ml de agua
4 cucharadas de catsup
1 cucharada de puré de tomate
2 cucharadas de miel
1 cucharada de vinagre
1 cucharada de salsa de soya oscura
1 zanahoria, pelada, cortada en juliana

Dato culinario

El polvo de cinco especias es un famoso sazonador chino que puedes comprar ya listo en un frasco. Es una mezcla de anís estrella finamente molido, hinojo, canela, clavos y pimienta de Sichuan, que le da un sabor anisado único a la comida.

Pad tai

1 Para preparar la salsa, en un tazón mezclar todos los ingredientes y reservar. En un tazón grande, colocar los fideos de arroz y cubrir con suficiente agua caliente. Dejar reposar durante 15 minutos, hasta que se suavicen. Escurrir y enjuagar, volver a escurrir.

2 En un wok, calentar el aceite a fuego alto hasta que esté bien caliente, pero sin humear. Agregar las tiras de pollo y sofreír constantemente hasta que empiece a adquirir color. Con una cuchara coladora, pasar a un plato. Bajar la flama a intensidad media.

3 Agregar los chalotes, el ajo y las cebollas de cambray, sofreír durante 1 minuto. Añadir los fideos de arroz, y reservar la salsa. Revolver bien.

4 Agregar las tiras de pollo reservadas, con la carne de cangrejo o los camarones, el germen de soya y el rábano, mezclar bien. Cocinar durante 5 minutos, revolviendo con frecuencia, hasta que esté bien caliente. Si los fideos se pegan, agregar un poco de agua.

5 Pasar a un platón grande y espolvorear con los cacahuates picados, si se desea. Servir de inmediato.

Ingredientes   PORCIONES 4

225g/ 8 oz de fideos de arroz planos
2 cucharadas de aceite vegetal
225g/ 8 oz de pechuga de pollo sin hueso, sin piel, finamente rebanada
4 chalotes, pelados, finamente rebanados
2 dientes de ajo, pelados, finamente picados
4 cebollas de cambray, cortadas en trozos diagonales de 5cm
350g/ 12 oz de carne blanca de cangrejo, fresca, o camarones pequeños
75g/ 3 oz de germen de soya fresco, enjuagado y escurrido
2 cucharadas de rábano fresco o en conserva, picado
2-3 cucharadas de cacahuates tostados, picados, opcional

Para la salsa:

3 cucharadas de salsa de pescado tai (nam pla)
2-3 cucharadas de vinagre de arroz o vinagre de sidra
1 cucharada de salsa de chile o de ostión
1 cucharada de aceite de ajonjolí tostado
1 cucharada de azúcar morena
1 chile rojo, sin semillas, finamente rebanado

Rollos de pavo y arroz con pesto

1 En un tazón, colocar el arroz y agregar el ajo, el queso parmesano, el pesto y los piñones. Revolver los ingredientes, reservar.

2 En una tabla para picar, colocar los bisteces de pavo y, con un cuchillo filoso, marcar horizontalmente cada bistec sin cortar. Abrirlos y cubrir con papel encerado. Aplanar ligeramente con el rodillo.

3 Sazonar cada bistec con sal y pimienta. Dividir el relleno en partes iguales entre los bisteces, esparciendo de manera uniforme sobre una mitad. Doblar a la mitad para encerrar el relleno, envolver cada pieza con jamón de Parma y cerrar con palillos.

4 En una sartén grande, calentar el aceite a fuego medio. Freír la carne de 5 a 6 minutos, o hasta que se dore de un lado. Voltear y cocinar 2 minutos más. Hacer a un lado la carne e incorporar el vino. Dejar que burbujee y se evapore. Añadir la mantequilla, un poco a la vez, revolviendo constantemente hasta que la salsa esté suave. Desechar los palillos, servir la carne bañada con la salsa acompañados de pasta y espinaca.

Ingredientes PORCIONES 4

125g/ 4 oz de arroz blanco, cocido, a
   temperatura ambiente
1 diente de ajo, pelado, machacado
1-2 cucharadas de queso parmesano,
   rallado
2 cucharadas de pesto preparado
2 cucharadas de piñones,
   ligeramente tostados y picados
4 bisteces de pavo, de 150g/ 5 oz
   cada uno
Sal y pimienta negra, recién molida
4 rebanadas de jamón de Parma
2 cucharadas de aceite de oliva
50ml/ 2 oz de vino blanco
25g/ 1 oz de mantequilla sin sal, fría

Para acompañar:

Espinaca recién cocida
Pasta recién cocida

Dato culinario

El clásico jamón de Parma está curado; se frota con sal durante un mes y luego se cuelga para que se seque durante un año. Cortado muy finamente, suele servirse crudo, pero también sabe rico si se frie ligeramente.

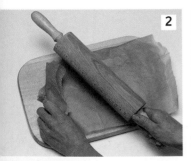

Pato desmenuzado en hojas de lechuga

1 Cubrir los hongos shiitake con agua casi hirviendo, dejar reposar durante 20 minutos antes de colar y rebanar finamente.

2 Calentar el aceite en un wok grande, sofreír el pato de 3 a 4 minutos o hasta que esté sellado. Retirar con una cuchara coladora y reservar.

3 Agregar el chile al wok junto con las cebollas de cambray, el ajo y los hongos shiitake, sofreír de 2 a 3 minutos o hasta que se suavicen.

4 Añadir al wok el germen de soya, la salsa de soya, el vino de arroz chino o jerez seco y la miel o azúcar morena y sofreír durante 1 minuto, o hasta que se incorporen.

5 Añadir el pato reservado y sofreír durante 2 minutos o hasta que esté bien mezclado y caliente. Pasar a un platón para servir.

6 Colocar la salsa hoisin en un tazón pequeño sobre un platón con las hojas de lechuga y las hojas de menta.

7 Para comer, verter un poco de salsa hoisin sobre una hoja de lechuga, colocar encima una cucharada del pato y las verduras, enrollar la lechuga para encerrar el relleno. Servir con la salsa.

Ingredientes PORCIONES 4-6

15g/ ½ oz de hongos shiitake, deshidratados
2 cucharadas de aceite vegetal
400g/ 14 oz de pechuga de pato, sin hueso, sin piel, cortado en tiras diagonales
1 chile rojo, sin semillas, rebanado en diagonal
4 a 6 cebollas de cambray, rebanadas en diagonal
2 dientes de ajo, pelados, machacados
75g/ 3 oz de germen de soya
3 cucharadas de salsa de soya
1 cucharada de vino de arroz chino o de jerez seco
1–2 cucharaditas de miel clara o azúcar morena
4–6 cucharadas de salsa hoisin
Hojas grandes de lechuga, crujientes, como iceberg o romana
Manojo de hojas de menta fresca
Salsa

Dato culinario

La salsa hoisin es una salsa china dulce y aromática que se prepara con frijoles de soya, azúcar, ajo y chile, principalmente.

Pato con salsa de bayas

1 Retirar la piel de las pechugas de pato, sazonar con un poco de sal y pimienta. Barnizar con el aceite una sartén acanalada, calentar en la estufa hasta que humee.

2 Colocar el pato, con el lado de la piel hacia abajo, en la sartén. Freír a fuego medio alto durante 5 minutos o hasta que esté bien dorado. Voltear el pato y freír durante 2 minutos más. Bajar el fuego y freír de 5 a 8 minutos o hasta que esté cocido y el centro esté ligeramente rosa. Retirar de la sartén y mantener caliente.

3 Mientras se cuece el pato, preparar la salsa. En una cacerola pequeña colocar el jugo de naranja, la hoja de laurel, la jalea de grosella, las bayas deshidratadas frescas, o congeladas, y el azúcar. Verter el líquido de la sartén acanalada sobre la cacerola pequeña. Dejar que suelte el hervor, reducir a fuego lento y cocinar, sin tapar, de 4 a 5 minutos, hasta que la fruta esté suave.

4 Retirar la hoja de laurel. Incorporar el vinagre y la menta picada, sazonar al gusto con sal y pimienta.

5 Rebanar las pechugas en diagonal y acomodar en platos. Bañar con la salsa de bayas y decorar con las ramitas de menta fresca. Servir de inmediato con las papitas cambray y los ejotes.

Ingredientes PORCIONES 4

4 pechugas de pato, de 175g/ 6 oz, sin hueso
Sal y pimienta negra, recién molida
1 cucharadita de aceite de girasol

Para la salsa:

Jugo de 1 naranja
1 hoja de laurel
3 cucharadas de jalea de grosella roja
150g/ 5 oz de bayas mixtas, frescas o congeladas (zarzamora y mora)
2 cucharadas de arándanos o cerezas, deshidratados
½ cucharadita de azúcar morena
1 cucharada de vinagre balsámico
1 cucharadita de menta, recién picada
Ramitas de menta fresca, para decorar

Para acompañar:

Papitas cambray, recién cocidas
Ejotes, recién cocidos

Nuestra sugerencia

Las pechugas de pato tienen mejor sabor si están un poco rosas en el centro. Sin embargo, el pato entero debe cocerse bien.

Conejo italiano

1 Cortar el conejo en trozos medianos, si es necesario. Picar el tocino y reservar. Picar el ajo y la cebolla, rebanar finamente la zanahoria, recortar y picar el apio.

2 En una cacerola grande, calentar la mantequilla y 1 cucharada de aceite, dorar el conejo durante 5 minutos, revolver con frecuencia, hasta que todo esté sellado. Pasar a un plato y reservar.

3 Agregar el ajo, el tocino, el apio, la zanahoria y la cebolla a la cacerola, cocinar durante 5 minutos más, revolviendo con frecuencia, hasta que se suavicen, regresar el conejo a la cacerola e incorporar los tomates con su jugo y el vino. Sazonar al gusto con sal y pimienta. Dejar que suelte el hervor, tapar, bajar la flama y cocinar a fuego lento durante 45 minutos.

4 Mientras, limpiar los champiñones y, si están grandes, cortar a la mitad. En una sartén pequeña, calentar el resto del aceite y saltear los champiñones durante 2 minutos. Escurrir y agregar al conejo, cocinar durante 15 minutos, o hasta que la carne esté suave. Sazonar al gusto y servir de inmediato con pasta recién cocida y ensalada verde.

Ingredientes PORCIONES 4

450g/ 1 lb de conejo, cortado en pedazos medianos, descongelado
6 rebanadas de tocino
1 diente de ajo, pelado
1 cebolla, pelada
1 zanahoria, pelada
1 tallo de apio
25g/ 1 oz de mantequilla
1 cucharadas de aceite de oliva
400g de tomates enlatados, picados
150ml de vino tinto
Sal y pimienta negra, recién molida
125g/ 4 oz de champiñones

Para acompañar:

Pasta recién cocida
Ensalada verde

Nuestra sugerencia

Si prefieres comprar el conejo completo, pídele al carnicero que lo corte en 8 piezas. El método y el tiempo de cocción son los mismos.

Lasaña tradicional

1 Precalentar el horno a 200°C/ 400°F 15 minutos antes de cocinar. En una cacerola grande, freír la carne y la panceta (o tocino) durante 10 minutos, revolviendo para romper cualquier trozo grande. Agregar la cebolla, el apio y los champiñones, cocinar durante 4 minutos, o hasta que estén ligeramente suaves.

2 Añadir el ajo y 1 cucharada de harina, cocinar durante 1 minuto. Incorporar el caldo, las hierbas y el puré de tomate. Sazonar al gusto con sal y pimienta. Dejar que suelte el hervor, tapar, bajar la flama y cocinar a fuego lento durante 45 minutos.

3 Mientras, en una cacerola pequeña, fundir la mantequilla y agregar el resto de la harina, el polvo de mostaza y la nuez moscada, revolver bien. Cocinar durante 2 minutos. Retirar del fuego e incorporar la leche, poco a poco, hasta que la mezcla esté homogénea. Devolver a la estufa y dejar que suelte el hervor, revolviendo, hasta que espese. Poco a poco, agregar el queso parmesano y el cheddar, hasta que se derritan. Sazonar al gusto.

4 Servir la mitad de la mezcla de carne en la base de un refractario grande. Cubrir con una capa de pasta. Servir la mitad de la salsa y la mitad del queso. Repetir las capas hasta terminar con queso. Hornear durante 30 minutos, o hasta que se cueza la pasta y la cubierta esté dorada y burbujeante. Servir de inmediato con pan crujiente y ensalada verde.

Ingredientes   PORCIONES 4

450g/ 1 lb de carne molida de res, magra
175g/ 6 oz de pancetta o tocino ahumado, picado
1 cebolla grande, picada
2 tallos de apio grandes, picados
125g/ 4 oz de champiñones botón, limpios, picados
2 dientes de ajo, pelados, picados
90g/ 3½ oz de harina
300ml de caldo de res
1 cucharada de hierbas mixtas secas
5 cucharadas de puré de tomate
Sal y pimienta negra, recién molida
75g/ 3 oz de mantequilla
1 cucharadita de polvo de mostaza inglesa
1 pizca de nuez moscada, recién rallada
900ml de leche
125g/ 4 oz de queso parmesano, rallado
125g/ 4 oz de queso cheddar, rallado
8-12 hojas de lasaña, precocida

Para acompañar:

Pan crujiente
Ensalada verde, fresca

Filete de res frito con champiñones cremosos

1 Cortar los chalotes a la mitad, si están grandes, picar el ajo. En una sartén grande, calentar el aceite y freír los chalotes durante 8 minutos aproximadamente, revolviendo ocasionalmente, hasta que casi estén suaves. Agregar el ajo y la carne y freír de 8 a 10 minutos, volteando una vez durante la cocción, hasta que la carne tenga un color café uniforme. Con una cuchara coladora, pasar la carne a un plato y mantener caliente.

2 Enjuagar los jitomates y cortar en ocho piezas, limpiar los champiñones y rebanar. Añadir a la sartén y cocinar durante 5 minutos, revolviendo frecuentemente, hasta que los champiñones se hayan suavizado.

3 Verter el brandy y calentar bien. Retirar la sartén del fuego y flamear con cuidado. Dejar que las flamas disminuyan. Verter el vino, devolver al fuego y dejar que suelte el hervor. Cocinar hasta que se reduzca a un tercio. Retirar la sartén del fuego, sazonar con sal y pimienta, incorporar la crema y revolver.

Ingredientes   PORCIONES 4

225g/ 8 oz de chalotes, pelados
2 dientes de ajo, pelados
2 cucharadas de aceite de oliva
4 medallones de res
4 jitomates roma
125g/ 4 oz de champiñones planos
3 cucharadas de brandy
150ml de vino tinto
Sal y pimienta negra, recién molida
4 cucharadas de crema

Para servir:
Papitas cambray, recién cocidas
Ejotes, recién cocidos

Nuestra sugerencia

Para preparar los medallones de res, compra un trozo de filete de res que pese aproximadamente 700g/ 1 ½ lb. Córtalo en diagonal en 4 piezas.

Filete de res con salsa de jitomate y ajo

1 Marcar una cruz en la parte superior de cada jitomate y colocar en un tazón. Cubrir con agua hirviendo y dejar reposar durante 2 minutos. Con una cuchara coladora, sacar los jitomates y pelar con cuidado. Repetir con todos los jitomates. Colocar en una tabla para picar, cortar en cuartos, quitar las semillas y picar grueso, reservar.

2 Pelar y picar el ajo. En una cacerola, calentar la mitad del aceite de oliva y freír el ajo durante 30 segundos. Agregar los jitomates picados con la albahaca, el orégano, el vino tinto y sazonar al gusto con sal y pimienta. Dejar que suelte el hervor, bajar la flama, tapar y cocinar a fuego bajo durante 15 minutos, revolviendo de vez en cuando, o hasta que la salsa se reduzca y espese. Añadir las aceitunas a la salsa y conservar caliente mientras se cuece la carne.

3 Mientras, engrasar ligeramente la parrilla o una sartén de base gruesa con el resto del aceite de oliva y freír la carne durante 2 minutos de cada lado para sellar. Seguir friendo la carne de 2 a 4 minutos más, dependiendo del gusto personal. Servir de inmediato con la salsa de ajo y verduras recién cocidas.

Ingredientes   PORCIONES 4

700g/ 1½ lb de jitomates maduros
2 dientes de ajo
2 cucharadas de aceite de oliva
2 cucharadas de albahaca, recién picada
2 cucharadas de orégano, recién picado
2 cucharadas de vino tinto
Sal y pimienta negra, recién molida
75g/ 3 oz de aceitunas negras, sin hueso, picadas
4 filetes de res, de 175g/ 6 oz cada uno
Verduras recién cocidas

Nuestra sugerencia

Los filetes de res deben tener un color caoba oscuro con un buen trozo de grasa. Si la carne es de color rojo intenso o si la grasa es blanca brillante, es porque no se añejó adecuadamente y es posible que esté dura.

Carne de res estilo chino con pasta cabello de ángel

1. Machacar los granos de pimienta en el molcajete. Pasar a un tazón y mezclar con el chile en polvo, la pimienta de Sichuan, la salsa de soya clara y el jerez. Añadir las tiras de carne y revolver para cubrir bien. Tapar y refrigerar para que se marine durante 3 horas, revolver de vez en cuando durante este tiempo.

2. Cuando vaya a cocinarse, en una cacerola grande hervir agua con sal. Agregar la pasta y cocer de acuerdo con las indicaciones del empaque, o hasta que esté "al dente". Escurrir bien y regresar a la cacerola. Añadir el aceite de ajonjolí y revolver ligeramente. Conservar la pasta caliente.

3. Calentar el aceite de girasol en un wok. Añadir las cebollas de cambray picadas en tiras junto con las rebanadas de pimiento verde y rojo, sofreír durante 2 minutos.

4. Escurrir la carne, reservar la marinada, agregar la carne al wok o a la sartén y sofreír durante 3 minutos. Verter la marinada y sofreír durante 1 o 2 minutos, hasta que la carne esté suave.

5. Servir la pasta en 4 platos calientes. Encima, servir la carne con los pimientos y adornar con ajonjolí tostado y las cebollas de cambray. Servir de inmediato.

Ingredientes   PORCIONES 4

1 cucharada de granos de pimienta rosa
1 cucharada de chile en polvo
1 cucharada de pimienta de Sichuan
3 cucharadas de salsa de soya clara
3 cucharadas de jerez seco
450g/ 1 lb de filete de sirloin, en tiras
350g/ 12 oz de pasta cabello de ángel
1 cucharada de aceite de ajonjolí
1 cucharada de aceite de girasol
1 manojo de cebollas de cambray, cortadas en tiras finas, más unas cuantas para adornar
1 pimiento rojo, sin semillas, finamente rebanado
1 pimiento verde, sin semillas, finamente rebanado
1 cucharada de semillas de ajonjolí, para adornar

Dato culinario

La pimienta de Sichuan es el fruto seco de color marrón rojizo del pimentero japonés y tiene un fuerte sabor picante a madera. Es uno de los ingredientes esenciales del polvo de cinco especias chino.

Albóndigas de cordero con col savoy

1 En un tazón grande, colocar la carne molida junto con el perejil, el jengibre, la salsa de soya clara y la yema de huevo, mezclar bien. Dividir la mezcla en piezas del tamaño de una nuez y, con las manos, darle forma de pelotas. Colocarlas sobre papel encerado, cubrir con plástico adherente y refrigerar durante 30 minutos cuando menos.

2 Mientras, en un tazón pequeño, mezclar la salsa de soya oscura, el jerez y la maicena con 2 cucharadas de agua, revolver hasta incorporar. Reservar.

3 Calentar un wok, añadir el aceite y, cuando esté caliente, agregar las albóndigas, freír de 5 a 8 minutos o hasta que estén todas doradas, volteando de vez en cuando. Con una cuchara coladora, pasar las albóndigas a un plato grande y mantener calientes.

4 Añadir el ajo, las cebollas de cambray, la col savoy y la col china al wok, freír revolviendo durante 3 minutos. Verter encima la mezcla reservada de salsa de soya, dejar que suelte el hervor, cocinar a fuego lento durante 30 segundos o hasta que haya espesado. Devolver las albóndigas al wok y revolver. Decorar con el chile rojo picado y servir de inmediato.

Como los ingredientes incluyen huevo crudo, asegúrate de que las albóndigas se cuezan por completo.

Ingredientes   PORCIONES 4

450g/ 1 lb de carne de cordero, molida
1 cucharada de perejil, recién picado
1 cucharada de raíz de jengibre, recién rallada
1 cucharada de salsa de soya clara
1 yema de huevo, mediano
4 cucharadas de salsa de soya oscura
2 cucharadas de jerez seco
1 cucharada de maicena
3 cucharadas de aceite vegetal
2 dientes de ajo, pelados, picados
1 manojo de cebollas de cambray, picado
½ col savoy, cortada en tiras
½ col china, cortada en tiras
Chile rojo, recién picado, para decorar

Consejo

Este platillo se prepara con ingredientes sencillos, pero puedes sustituirlos por ingredientes de origen chino, como vinagre de vino de arroz en lugar del jerez y hojas de pak choi (similar a la acelga) en lugar de la col savoy.

Cordero asado con romero y ajo

1 Precalentar el horno a 200°C/ 400°F 15 minutos antes de asar. Limpiar la pierna de cordero con un trapo limpio, húmedo, y colocar en una rosticera grande. Con un cuchillo filoso, hacer incisiones pequeñas y profundas en la carne. Cortar 2-3 dientes de ajo en láminas pequeñas e insertar en la carne con unos ramitos de romero. Sazonar al gusto con sal y pimienta y cubrir la carne con rebanadas de panceta o tocino.

2 Bañar con 1 cucharada de aceite de oliva y poner unos ramitos más de romero en toda la carne. Asar en el horno precalentado durante 30 minutos, verter el vinagre.

3 Pelar las papas y cortar en trozos grandes. Pelar la cebolla y cortar en rebanadas gruesas, rebanar grueso el resto del ajo. Acomodar alrededor de la carne. Verter el resto del aceite de oliva sobre las papas, bajar la temperatura del horno a 180°C/ 350°F, y asar durante 1 hora más, o hasta que la carne esté suave. Adornar con ramitos de romero fresco y servir de inmediato con las papas asadas y el ratatouille.

Ingredientes   PORCIONES 6

1 pierna de cordero de 1.6kg/ 3½ lb
8 dientes de ajo, pelados
Ramitos de romero fresco
Sal y pimienta negra, recién molida
4 rebanadas de panceta o tocino
1 cucharada de aceite de oliva
4 cucharadas de vinagre de vino
    tinto
900g/ 2 lb de papas
1 cebolla grande
Ramitos de romero fresco, para
    adornar
Ratatouille recién cocinado

Nuestra sugerencia

Si no logras conseguir una pierna de cordero que pese 1.6kg/ 3½ lb exactamente, calcula el tiempo de cocción de la siguiente manera:
20 minutos por 450g/ 1lb más
30 minutos para poco cocida;
25 minutos por 450g/ 1 lb más
30 minutos para término medio;
y 30 minutos por 450g/ 1 lb más
30 minutos para bien cocida.

Chuletas de cordero marinadas con papas fritas en ajo

1 Quitar el exceso de grasa de las chuletas, limpiar con un trapo limpio y húmedo, y reservar. Para hacer la marinada, en el molcajete, machacar las hojas de tomillo y romero junto con la sal hasta que estén tersas. Añadir el ajo y machacar. Incorporar la ralladura de limón, el jugo y el aceite de oliva.

2 Verter la marinada sobre las chuletas, voltearlas hasta que estén bien cubiertas. Tapar holgadamente y dejar marinar en el refrigerador durante 1 hora.

3 Mientras, en una sartén grande de teflón calentar el aceite. Agregar las papas y el ajo y freír a fuego lento durante 20 minutos, revolviendo ocasionalmente. Aumentar el fuego y freír de 10 a 15 minutos hasta que estén doradas. Escurrir sobre toallas de papel absorbente y añadir sal al gusto. Mantener calientes.

4 Calentar una sartén acanalada hasta que casi humee. Añadir las chuletas de cordero y cocer de 3 a 4 minutos de cada lado, hasta que estén doradas y tengan el centro rosa. Servir con las papas y ensalada mixta o verduras recién cocidas.

Ingredientes   PORCIONES 4

4 chuletas de cordero, gruesas

Para la marinada:

1 manojo pequeño de tomillo fresco, sin hojas
1 cucharada de romero, recién picado
1 cucharadita de sal
2 dientes de ajo, pelados, machacados
Ralladura y jugo de 1 limón amarillo
2 cucharadas de aceite de oliva

Para las papas fritas con ajo:

3 cucharadas de aceite de oliva
550g/ 1¼ lb de papas, peladas, cortadas en trozos pequeños
6 dientes de ajo, sin pelar
Ensalada mixta o verduras recién cocidas

Consejo

Para variar la receta, prueba con otros jugos cítricos (los ácidos también ayudan a ablandar).

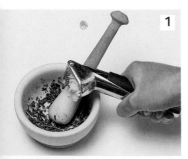

Pilaf de cordero

1 Precalentar el horno a 140°C/ 275°F. En un recipiente resistente al fuego con tapa hermética, calentar el aceite y añadir las almendras. Freír durante 1 minuto o hasta que comiencen a dorarse, revolviendo con frecuencia. Agregar la cebolla, la zanahoria y el apio, freír ligeramente de 8 a 10 minutos o hasta que las verduras estén suaves y ligeramente doradas.

2 Aumentar el fuego y añadir el cordero. Cocinar durante 5 minutos más, hasta que la carne haya cambiado de color. Agregar la canela molida y las hojuelas de chile, revolver un poco antes de añadir los jitomates y la ralladura de naranja.

3 Revolver, incorporar el arroz y después el caldo. Dejar que suelte el hervor y tapar bien. Pasar al horno precalentado y hornear de 30 a 35 minutos, hasta que el arroz esté suave y el caldo se haya absorbido.

4 Retirar del horno y dejar reposar durante 5 minutos antes de incorporar el cebollín y el cilantro. Sazonar al gusto con sal y pimienta. Decorar con las rebanadas de limón y las ramitas de cilantro fresco, servir de inmediato.

Ingredientes   PORCIONES 4

2 cucharadas de aceite vegetal
25g/ 1 oz de almendras, fileteadas, o en hojuelas
1 cebolla mediana, finamente picada
1 zanahoria mediana, pelada, finamente picada
1 tallo de apio, finamente picado
350g/ 12 oz de carne de cordero, magra, cortada en trozos
¼ cucharadita de canela, molida
¼ cucharadita de hojuelas de chile
2 jitomates grandes, sin piel, sin semillas, picados
Ralladura de 1 naranja
350g/ 12 oz de arroz basmati integral, precocido (arroz de grano largo
600ml de caldo de verduras o de cordero
2 cucharadas de cebollín, recién recortado
3 cucharadas de cilantro, recién picado
Sal y pimienta negra, recién molida

Para adornar:

Rebanadas de limón amarillo
Ramitas de cilantro fresco

Costillas de cerdo agridulces

1   Precalentar el horno a 200°C/ 350°F 15 minutos antes de cocinar. Si es necesario, colocar las costillas sobre una tabla para picar y, con un cuchillo filoso, cortar la unión entre ellas para separarlas. Colocar en un recipiente poco profundo en una sola capa.

2   En una cacerola pequeña, colocar la miel, la salsa inglesa y el polvo de cinco especias chinas junto con la salsa de soya, el jerez y la salsa de chile, calentar ligeramente, revolviendo hasta que esté suave. Añadir el ajo picado, el puré de tomate y la mostaza en polvo, en su caso.

3   Verter la mezcla de la miel sobre las costillas, bañarlas hasta que queden bien cubiertas. Tapar con plástico adherente y dejar marinar en el refrigerador durante toda la noche, bañarlas ocasionalmente con la marinada.

4   Cuando vayan a cocinarse, retirar las costillas de la marinada y colocar sobre una charola poco profunda para rostizar. Bañar con un poco de la marinada, reservar el resto. Colocar las costillas en el horno precalentado y hornear de 35 a 40 minutos, o hasta que estén cocidas y la parte exterior esté crujiente. Durante la cocción, bañar ocasionalmente con la marinada reservada. Adornar con rizos de cebolla de cambray y servir de inmediato, ya sea como entrada o como guarnición.

Ingredientes   PORCIONES 4

1.6kg/ 3½ lb de costillas de cerdo
4 cucharadas de miel
1 cucharada de salsa inglesa
1 cucharadita de polvo de cinco especias chinas
4 cucharadas de salsa de soya
2½ cucharadas de jerez seco
1 cucharadita de salsa de chile
2 dientes de ajo, pelados, picados
1½ cucharada de puré de tomate
1 cucharadita de mostaza en polvo seco (opcional)
Rizos de cebolla de cambray, para adornar

Consejo

Marinar las costillas durante toda la noche no sólo añade sabor a la carne, sino que la vuelve más suave. Si no tienes tiempo para dejarlas toda la noche, colócalas en una cacerola y cúbrelas al ras con agua. Añade 1 cucharada de vinagre de vino, deja que suelte el hervor y hierve a fuego lento durante 15 minutos. Escúrrelas bien, revuélcalas en la marinada y rostiza de inmediato, báñalas ocasionalmente durante la cocción.

Antipasto de penne

1 Precalentar la parrilla justo antes de comenzar a cocinar. Cortar las calabacitas en rebanadas gruesas. Enjuagar los jitomates y cortar en cuartos; cortar el jamón en tiras. Verter el aceite en un recipiente para horno, colocar bajo la parrilla durante 2 minutos o hasta que casi humee. Retirar de la parrilla y añadir las calabacitas. Devolver a la parrilla, cocer durante 8 minutos, revolviendo ocasionalmente. Retirar de la parrilla, agregar el jitomate y cocer durante 3 minutos más.

2 Agregar el jamón al recipiente, cocer bajo la parrilla durante 4 minutos, hasta que todas las verduras estén chamuscadas y el jamón tome color café. Sazonar al gusto con sal y pimienta.

3 Mientras, sumergir la pasta en una cacerola grande con agua hirviendo con un poco de sal, dejar que suelte el hervor, revolver y cocer durante 8 minutos, o hasta que esté "al dente". Escurrir bien, devolver a la cacerola.

4 Añadir el antipasto de pimientos a las verduras, cocer bajo la parrilla durante 2 minutos o hasta que estén bien calientes. Añadir la pasta cocida, revolver ligeramente con el resto de los ingredientes. Asar durante 4 minutos más, servir de inmediato.

Ingredientes   PORCIONES 4

3 calabacitas medianas, recortadas
4 jitomates roma
175g/ 6 oz de jamón italiano
2 cucharadas de aceite de oliva
Sal y pimienta negra, recién molida
350g/ 12 oz de pasta penne, seca
285g/ 10 oz de pimiento, en frasco
125g/ 4 oz de queso mozzarella,
    escurrido, en cubos
125g/ 4 oz de queso gorgonzola,
    desmenuzado
3 cucharadas de perejil de hoja lisa,
    recién picado, para decorar

Dato culinario

El término antipasto se refiere a los platillos servidos como entrada antes del "pasto" o comida, su propósito es abrir el apetito para los siguientes tiempos. En Italia, se sirve en pequeñas cantidades, aunque pueden servirse 2 o 3 platillos diferentes al mismo tiempo. No existen reglas estrictas sobre cuáles son los platillos adecuados como antipasto —literalmente, existen miles de variantes regionales.

Cerdo jamaiquino con arroz y frijoles

1 Para preparar la marinada de especias, en el procesador de alimentos hacer un puré con las cebollas, el ajo, el jugo de limón verde, la melaza, la salsa de soya, el jengibre, los chiles, la canela, la pimienta de Jamaica y la nuez moscada. Colocar las chuletas de cerdo en un plato de plástico y bañar con la marinada, revolviendo para cubrirlos bien. Marinar en el refrigerador durante 1 hora cuando menos, o toda la noche.

2 Escurrir los frijoles y colocar en una cacerola grande con 2 litros de agua fría. Dejar que suelte el hervor y cocinar rápido durante 10 minutos. Bajar la flama, tapar y hervir a fuego lento durante 1 hora, hasta que estén suaves, agregar más agua de ser necesario. Una vez cocidos, escurrir bien y machacar.

3 En una cacerola con tapa hermética, calentar el aceite para el arroz y agregar la cebolla, el apio y el ajo. Freír durante 5 minutos, hasta que se suavicen. Añadir las hojas de laurel, el arroz y el caldo, revolver. Agregar los frijoles y revolver bien. Cocinar durante 5 minutos más, y retirar del fuego. Sacar las hojas de laurel.

4 Calentar una sartén acanalada hasta que casi humee. Sacar las chuletas de la marinada, eliminar el exceso y colocar en la sartén caliente. Cocinar de 5 a 8 minutos de cada lado, o hasta que se cuezan. Adornar con el perejil y servir de inmediato con el arroz.

Ingredientes   PORCIONES 4

175g/ 6 oz de frijoles rojos secos, remojados toda la noche
2 cebollas, picadas
2 dientes de ajo, pelados, machacados
4 cucharadas de jugo de limón verde
2 cucharadas de cada una: melaza oscura (jarabe de maíz), salsa de soya y raíz de jengibre, picada
2 chiles jalapeños, sin semillas, picados
½ cucharadita de canela, molida
¼ cucharadita de pimienta de Jamaica y ¼ de nuez moscada, molidas
4 chuletas de cerdo, con hueso

Para el arroz:

1 cucharada de aceite vegetal
1 cebolla, finamente picada
1 tallo de apio, finamente rebanado
3 dientes de ajo, pelados, machacados
2 hojas de laurel
225g/ 8 oz de arroz blanco, de grano largo
475ml/ 18 oz de caldo de pollo o de jamón
Ramitos de perejil de hoja lisa, frescos, para adornar

Chuletas de cerdo guisadas

1 Precalentar el horno a 190°C/ 375°F 10 minutos antes de cocinar. Recortar las chuletas, quitar el exceso de grasa, limpiar con un trapo limpio y húmedo, espolvorear con un poco de harina y reservar. Cortar los chalotes a la mitad, si están grandes. Picar el ajo y rebanar los tomates deshidratados.

2 En una cacerola grande, calentar el aceite de oliva y freír las chuletas durante 5 minutos, volteando de vez en cuando durante la cocción, hasta que estén doradas. Con una cuchara coladora, sacar con cuidado y reservar. Agregar los chalotes y freír durante 5 minutos, revolviendo de vez en cuando.

3 Regresar las chuletas a la cacerola y esparcir el ajo y los tomates deshidratados, vaciar la lata de tomates con su jugo.

4 Revolver el vino tinto, el caldo y el puré de tomate, agregar el orégano picado. Sazonar al gusto con sal y pimienta, verter en las chuletas y dejar que suelte el hervor. Tapar con una tapadera hermética y hornear durante 1 hora, o hasta que las chuletas estén suaves. Ajustar la sazón al gusto, espolvorear con unas cuantas hojas de orégano y servir de inmediato con papitas cambray y ejotes recién cocidos.

Ingredientes　　PORCIONES 4

4 chuletas de cerdo
Harina para espolvorear
225g/8 oz de chalotes, pelados
2 dientes de ajo, pelados
50g/ 2 oz de tomates deshidratados
2 cucharadas de aceite de oliva
400g de tomates enlatados
150ml de vino tinto
150ml de caldo de pollo
3 cucharadas de puré de tomate
2 cucharadas de orégano, recién picado
Sal y pimienta negra, recién molida
Hojas de orégano fresco, para adornar

Para acompañar:

Papitas cambray, recién cocidas
Ejotes, recién cocidos

Consejo

Para esta receta, compra chuletas con hueso. Quita el exceso de grasa antes de cocinar.

1

3

4

Cuscús con especias y verduras

1 En una sartén grande, calentar el aceite y agregar los chalotes y el ajo, freír de 2 a 3 minutos, hasta que se suavicen. Agregar los pimientos y la berenjena, bajar la flama.

2 Cocinar de 8 a 10 minutos, hasta que las verduras estén suaves, agregando un poco de agua de ser necesario.

3 Probar una pieza de berenjena para comprobar que está bien cocida. Agregar todas las especias y cocinar durante 1 minuto más.

4 Aumentar la flama y añadir los jitomates y el jugo de limón. Cocinar de 2 a 3 minutos más, hasta que los jitomates empiecen a abrirse. Retirar del fuego y dejar enfriar un poco.

5 Mientras, en un tazón grande, colocar el cuscús. En una cacerola, dejar que el caldo suelte el hervor y vaciar el cuscús. Revolver bien y tapar con un trapo limpio.

6 Dejar reposar de 7 a 8 minutos, hasta que se absorba el caldo y el cuscús esté suave.

7 Destapar el cuscús y esponjar con un tenedor. Agregar la mezcla de especias y verduras junto con las pasas, las almendras, el cilantro y el perejil. Sazonar al gusto con sal y pimienta. Servir.

Ingredientes   PORCIONES 4

1 cucharada de aceite de oliva
1 chalote grande, pelado, finamente picado
1 diente de ajo, pelado, finamente picado
1 pimiento rojo pequeño, sin semillas, en tiras
1 pimiento amarillo pequeño, sin semillas, en tiras
1 berenjena pequeña, en cubos
1 cucharadita de cada una: cúrcuma, comino molido, canela molida y paprika
2 cucharaditas de cilantro, molido
1 pizca grande de azafrán
2 jitomates, pelados, sin semillas, en cubos
1 cucharada de jugo de limón
225g/ 8 oz de cuscús
225ml/ 8 oz de caldo de verduras
2 cucharadas de pasas
2 cucharadas de almendras, enteras
2 cucharadas de perejil, recién picado
2 cucharadas de cilantro, recién picado
Sal y pimienta negra, recién molida

Ensalada china con aderezo de soya y jengibre

1 Lavar y rallar finamente la col china, colocar en un platón para servir.

2 Cortar las castañas de agua en rebanadas finas. Cortar diagonalmente las cebollas de cambray en trozos de 2.5cm, cortarlas a lo largo en tiras finas.

3 Cortar los jitomates en mitades, rebanar cada mitad en 3 gajos y reservar.

4 Colocar los chícharos chinos en agua hirviendo durante 2 minutos, hasta que comiencen a suavizarse, colar y cortar en mitades diagonalmente.

5 Sobre la col china rallada acomodar las castañas de agua, las cebollas de cambray, los jitomates, los chícharos chinos y el germen de soya. Decorar con cilantro recién picado.

6 Para hacer el aderezo, en un tazón pequeño mezclar todos los ingredientes hasta que estén bien integrados. Servir con el pan y la ensalada.

Ingredientes   PORCIONES 4

1 cabeza de col china
200g/ 7 oz de castañas de agua, de lata, coladas
6 cebollas de cambray
4 jitomates cherry maduros, firmes
125g/ 4 oz de chícharos chinos
125g/ 4 oz de germen de soya
2 cucharadas de cilantro, recién picado

Para el aderezo de soya y jengibre:

2 cucharadas de aceite de girasol
4 cucharadas de salsa de soya clara
1 raíz de jengibre fresco, de 2.5cm, pelada, finamente rallada
Jugo y ralladura de 1 limón amarillo
Sal y pimienta negra, recién molida
Pan crujiente

Brochetas de verdura marinada

1 En una cacerola con agua apenas hervida, colocar las calabacitas, los pimientos y las cebollas de cambray. Dejar que suelte el hervor y cocinar a fuego lento durante 30 segundos.

2 Escurrir y enjuagar las verduras cocidas en agua fría, secar con toallas de papel absorbente.

3 Ensartar las verduras cocidas, los champiñones y los jitomates de manera alternada en las brochetas, colocar en un platón grande.

4 Para preparar la marinada, mezclar todos los ingredientes hasta incorporar bien. Verter la marinada sobre las brochetas de manera uniforme, y refrigerar cuando menos durante 1 hora. Bañar las brochetas con la marinada de vez en cuando durante este tiempo.

5 Colocar las brochetas en una cacerola acanalada caliente o en la parrilla para barbacoa, cocinar de 10 a 12 minutos. Voltear las brochetas con frecuencia y barnizar con la marinada, si es necesario, hasta que las verduras estén suaves. Espolvorear con el perejil picado y servir de inmediato con cuscús.

Ingredientes PORCIONES 4

2 calabacitas pequeñas, en rebanadas medianas
½ pimiento verde, sin semillas, en cubos medianos
½ pimiento rojo, sin semillas, en cubos medianos
½ pimiento amarillo, sin semillas, en cubos medianos
8 cebollas cambray, peladas
8 champiñones botón
8 jitomates cherry
Perejil, recién picado, para adornar
Cuscús recién cocido, para servir

Para la marinada:

1 cucharada de aceite de oliva
4 cucharadas de jerez seco
1 cucharadas de salsa de soya clara
1 chile rojo, sin semillas, finamente picado
2 dientes de ajo, pelados, machacados
1 raíz de jengibre de 2.5cm, pelada, rallada finamente

Jitomates rellenos con polenta a la parrilla

1 Precalentar la parrilla justo antes de cocinar. Para preparar la polenta, en una cacerola, verter el caldo. Agregar una pizca de sal y dejar que suelte el hervor. Verter la polenta en hilillo, sin dejar de revolver. Cocinar a fuego lento durante 15 minutos, o hasta que esté muy espesa. Incorporar la mantequilla y agregar un poco de pimienta. Colocar la polenta en una tabla para picar y extender a un grosor de 1cm. Dejar enfriar, tapar con plástico adherente y refrigerar durante 30 minutos.

2 Para preparar los jitomates rellenos, cortar los jitomates a la mitad, sacar las semillas y presionar en un colador para extraer los jugos. Sazonar los interiores con sal y pimienta, reservar. En una cacerola, calentar el aceite de oliva y freír el ajo y las cebollas de cambray durante 3 minutos. Agregar el jugo de los jitomates, dejar burbujear de 3 a 4 minutos, hasta que se haya evaporado gran parte del líquido. Incorporar las hierbas, el jamón de Parma y un poco de pimienta negra con la mitad del pan molido. Servir en los jitomates vacíos y reservar.

3 Cortar la polenta en cuadros de 5cm, y luego a la mitad para hacer triángulos. Colocar los triángulos en una hoja de papel aluminio en la rejilla de la parrilla y asar de 4 a 5 minutos de cada lado, hasta que se doren. Tapar y conservar calientes. Asar los jitomates en la parrilla a fuego medio-alto durante 4 minutos; el jamón de Parma que quede expuesto se volverá crujiente. Espolvorear con el resto del pan molido y asar de 1 a 2 minutos., o hasta que estén bien dorados. Adornar con el cebollín y servir de inmediato con la polenta asada.

Ingredientes PORCIONES 4

Para la polenta:

300ml de caldo de verduras
Sal y pimienta negra, recién molida
50g/ 2 oz de polenta de cocción rápida
15g/ ½ oz de mantequilla

Para el relleno de los jitomates:

4 jitomates grandes
1 cucharada de aceite de oliva
1 diente de ajo, pelado y machacado
1 manojo de cebollas de cambray, finamente picadas
2 cucharadas de perejil, recién picado
2 cucharadas de albahaca, recién picada
1 rebanadas de jamón de Parma, en láminas delgadas
50g/ 2 oz de pan molido blanco
Cebollín picado, para adornar

Pizza de tres jitomates

1 Precalentar el horno a 220°C/425°F. Colocar una charola en el horno para calentar.

2 Dividir la masa de la pizza preparada en 4 piezas iguales. Extender un cuarto de la masa en una tabla ligeramente enharinada y hacer un círculo de 20.5cm. Cubrir ligeramente las tres piezas de masa restantes con plástico adherente.

3 Extender las otras tres piezas, una por una. Mientras se extiende una pieza de masa, conservar las demás cubiertas con plástico adherente.

4 Rebanar los jitomates roma, partir a la mitad los jitomates cherry y picar los jitomates deshidratados en piezas pequeñas.

5 Colocar unas cuantas piezas de cada jitomate en la base de cada pizza, sazonar al gusto con sal de mar.

6 Espolvorear con la albahaca picada y bañar con el aceite de oliva. Colocar unas cuantas rebanadas de mozzarella en cada pizza y sazonar con pimienta negra.

7 Pasar las pizzas a la charola caliente y hornear de 15 a 20 minutos, o hasta que el queso esté bien dorado y burbujee. Adornar con hojas de albahaca y servir de inmediato.

Ingredientes PORCIONES 2-4

1 masa para pizza
3 jitomates roma
8 jitomates cherry
6 jitomates deshidratados
1 pizca de sal de mar
1 cucharada de albahaca, recién picada
2 cucharadas de aceite de oliva extra virgen
125g/ 4 oz de queso mozzarella de búfalo, rebanado
Pimienta negra, recién molida
Hojas de albahaca frescas, para adornar

Dato culinario

El mozzarella de búfalo es considerado el rey de los mozzarella. Tiene leche de búfalo, lo que hace que este queso sea extremadamente suave y cremoso. Un buen mozzarella viene en líquido para conservar su humedad y se desmenuza con facilidad.

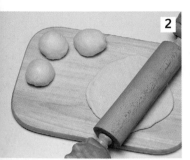

Rosti de eglefino ahumado

1 Con un paño de cocina limpio secar las papas ralladas. Enjuagar bien la cebolla rallada en agua fría, secar con un paño de cocina limpio y revolver con las papas.

2 Añadir el ajo a la mezcla de las papas. Quitar la piel del eglefino ahumado y quitar los huesos. Cortar en rebanadas finas y reservar.

3 En una sartén de teflón calentar el aceite. Añadir la mitad de las papas y presionar contra la sartén. Sazonar al gusto con sal y pimienta.

4 Colocar una capa del pescado, esparcir la ralladura de limón, el perejil y un poco de pimienta negra.

5 Colocar encima el resto de las papas y presionar con firmeza. Cubrir con papel aluminio y cocer a fuego bajo de 25 a 30 minutos.

6 Precalentar el grill de 2 a 3 minutos antes de terminar el tiempo de cocción. Retirar el papel aluminio y colocar el rosti bajo el grill para dorarlo. Voltear y colocar sobre un platón caliente. Servir de inmediato con una cucharadas de crème fraîche, gajos de limón y hojas de ensalada mixta.

Ingredientes   PORCIONES 4

450g/ 1 lb de papas, peladas, ralladas grueso
1 cebolla grande, rallada grueso
2–3 dientes de ajo, pelados, machacados
450g/ 1 lb de eglefino ahumado
1 cucharada de aceite de oliva
Sal y pimienta negra, recién molida
Ralladura fina de ½ limón amarillo
1 cucharada de perejil, recién picado
2 cucharadas de crème fraîche, semidescremada (crema fresca)
Hojas mixtas para ensalada, para decorar
Gajos de limón amarillo, para servir

Nuestra sugerencia
Usa filetes de eglefino ahumado, son ideales para esta receta.

Bacalao envuelto en panceta

1 Secar los filetes de bacalao, envolver cada uno con la panceta o tocino. Asegurar cada filete con un palillo y reservar.

2 Colar las alcaparras, remojar en agua fría durante 10 minutos para eliminar el exceso de sal, escurrir y reservar.

3 En una sartén grande, calentar el aceite, sellar los filetes envueltos de bacalao durante 3 minutos de cada lado, volteando con cuidado con una espátula para no romperlos.

4 Reducir el fuego y continuar la cocción de 2 a 3 minutos más o hasta que el pescado esté bien cocido.

5 Mientras, en una cacerola pequeña mezclar las alcaparras, el jugo de limón y el aceite de oliva. Espolvorear encima pimienta molida.

6 Colocar la cacerola a fuego lento y dejar que suelte el hervor, cocinar a fuego lento de 2 a 3 minutos, revolviendo constantemente.

7 Cuando el pescado esté cocido, decorarlo con el perejil y servir con el aderezo caliente de alcaparras, verduras recién cocidas y papitas cambray.

Ingredientes PORCIONES 4

4 filetes de bacalao, gruesos, de 175g/
   6 oz cada uno
4 rebanadas de panceta o tocino, muy
   finas
3 cucharadas de alcaparras, en vinagre
1 cucharada de aceite vegetal o de girasol
2 cucharadas de jugo de limón amarillo
1 cucharada de aceite de oliva
pimienta negra, recién molida
1 cucharada de perejil, recién picado,
   para decorar

Para acompañar:

Verduras, recién cocidas
Papitas cambray, recién cocidas

Dato culinario

Originaria de Italia, la pancetta es la panza de cerdo curada y muchas veces ahumada que se vende en finas rebanadas o picada en cubos pequeños. Las rebanadas de pancetta pueden usarse para envolver aves o pescados, mientras que la pancetta picada se usa en salsas. Para cocer la pancetta picada, fríela de 2 a 3 minutos y reserva. Usa el aceite para sellar la carne o freír cebollas y devuelve la pancetta a la sartén.

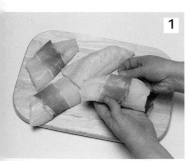

Pollos de leche glaseados

1 Precalentar la parrilla justo antes de cocinar. En una tabla para picar, poner los pollos con la pechuga hacia abajo. Con un chuchillo para aves, cortar hacia abajo un lado de la columna vertebral. Cortar igual del otro lado. Sacar el hueso. Abrir el pollo y presionar con fuerza el hueso de la pechuga con el talón de la mano para romperlo y aplanar el pollo.

2 Encajar dos brochetas en cruz a través del ave para mantenerla plana, asegurándose de que cada brocheta entre por un ala y salga por la pierna del lado opuesto. Repetir con el otro pollo. Sazonar ambos lados con sal y pimienta.

3 Para preparar el glaseado, revolver la ralladura y el jugo de limón, el jerez, la miel, la salsa de soya, la mostaza, el puré de tomate y el polvo de cinco especias chino; usar la mezcla para barnizar los pollos.

4 Colocar los pollos con la piel hacia abajo en la rejilla de la parrilla y asar a fuego medio durante 15 minutos, barnizando con más glaseado a media cocción. Voltear los pollos y asar durante 10 minutos más. Volver a barnizar con el glaseado y acomodar las rebanadas de quinoto encima. Asar durante 15 minutos más, hasta que estén bien dorados y cocidos. Si se doran muy rápido, baja un poco la parrilla.

5 Quitar las brochetas y cortar cada pollo a la mitad por la pechuga. Servir de inmediato con ensalada, pan o papas.

Ingredientes   PORCIONES 4

2 pollos de leche, de 700g/ 1½ lb cada uno
Sal y pimienta negra, recién molida
4 quinotos, finamente rebanados (fruta de color naranja, ligeramente ácida)
Hojas para ensalada, pan crujiente o papitas cambray

Para el glaseado:
Ralladura fina de 1 limón amarillo, pequeño
1 cucharada de jugo de limón amarillo
1 cucharada de jerez seco
1 cucharada de miel
1 cucharada de salsa de soya oscura
2 cucharadas de mostaza de grano entero
1 cucharada de puré de tomate
½ cucharadita de polvo de cinco especias chino

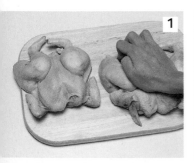

Índice